THREE MEN IN A BOAT

D0784472

TROIS HOMMES
DANS UN BATEAU

Langues pour tous
Collection dirigée par Jean-Pierre Berman,
Michel Marcheteau et Michel Savio

ANGLAIS Série bilingue

Niveaux : ❏ facile ❏❏ moyen ❏❏❏ avancé

Littérature anglaise et irlandaise

- **Carroll (Lewis)** ❏
  Alice au pays des merveilles
- **Cleland (John)** ❏❏❏
  Fanny Hill
- **Conan Doyle** ❏
  Nouvelles (6 volumes)
- **Dickens (Charles)** ❏❏
  David Copperfield
  Un conte de Noël
- **Fleming (Ian)** ❏❏
  James Bond en embuscade
- **Greene (Graham)** ❏❏
  Nouvelles
- **Jerome K. Jerome** ❏❏
  Trois hommes dans un bateau
- **Kipling (Rudyard)** ❏
  Le livre de la jungle (extraits)
- **Mansfield (Katherine)** ❏❏❏
  Nouvelles
- **Masterton (Graham)** ❏❏
  Nouvelles
- **Maugham (Somerset)** ❏
  Nouvelles brèves
- **Stevenson (Robert Louis)** ❏❏
  L'étrange cas du Dr Jekyll
  et de Mr Hyde
- **Wilde (Oscar)**
  Nouvelles ❏
  Il importe d'être constant ❏
- **Woodhouse (P.G.)**
  Jeeves, occupez-vous de ça ! ❏❏

Ouvrages thématiques

- **L'humour anglo-saxon** ❏
- **Science fiction** ❏❏
- **300 blagues britanniques
  et américaines** ❏❏

Littérature américaine

- **Bradbury (Ray)** ❏❏
  Nouvelles
- **Hammett (Dashiell)** ❏❏
  Meurtres à Chinatown
- **Highsmith (Patricia)** ❏❏
  Crimes presque parfaits
- **Hitchcock (Alfred)** ❏❏
  Voulez-vous tuer avec moi ?
- **King (Stephen)** ❏❏
  Nouvelles
- **James (Henry)** ❏❏❏
  Le tour d'écrou
- **London (Jack)** ❏❏
  Histoires du grand Nord
  Contes des mers du Sud
- **Fitzgerald (Scott)** ❏❏❏
  Un diamant gros comme
  le Ritz
  L'étrange histoire
  de Benjamin Button ❏

Anthologies

- **Nouvelles US/GB** ❏❏ (2 vol.)
- **Les grands maîtres
  du fantastique** ❏❏
- **Nouvelles américaines
  classiques** ❏❏
- **Nouvelles anglaises
  classiques** ❏❏

Autres langues disponibles dans les séries de la collection
Langues pour tous

ALLEMAND · AMÉRICAIN · ARABE · CHINOIS · ESPAGNOL · FRANÇAIS · GREC · HÉBREU
ITALIEN · JAPONAIS · LATIN · NÉERLANDAIS · OCCITAN · POLONAIS · PORTUGAIS
RUSSE · TCHÈQUE · TURC · VIETNAMIEN

JEROME K. JEROME

THREE MEN IN A BOAT
To say nothing of the Dog !

TROIS HOMMES DANS UN BATEAU
Sans parler du chien

(Extraits)

Introduction, traduction et notes par
Dominique LESCANNE
Agrégé de l'Université

POCKET

Dominique Lescanne est Professeur Agrégé d'Anglais et Responsable des Langues et des Relations Internationales à l'U.F.R. INFOCOM de l'Université de Lille 3.

Il a publié dans Langues pour Tous :

- *Pratiquez l'anglais britannique en 40 Leçons* (avec Christopher Mason), 1986, 1999

Dans la série bilingue :

- *Un diamant gros comme le Ritz* de Francis Scott Fitzgerald (introduction, traduction et notes), 1989, 2003
- *Trois hommes dans un bateau* (extraits) de Jerome K. Jerome, 1990, nouvelle édition 2003
- Nouvelles anglaises classiques
- La Littérature britannique, 2004
- La Littérature américaine, 2004

Dans la série « Version originale » :

- *Tales of Soldiers* d'Ambrose Bierce, 2006
- *Great Soliloquies* de William Shakespeare, 2007

© 1989, Éditions Pocket – Langues pour Tous, département d'Univers Poche, pour la traduction, les notices biographiques et les notes.
© 2009 : nouvelle édition
ISBN : 978-2-266-13275-6

Sommaire

Comment utiliser la série « Bilingue » ?

Les ouvrages de la série « Bilingue » permettent aux lecteurs :

• d'avoir accès aux versions originales de textes célèbres, et d'en apprécier, dans les détails, la forme et le fond, en l'occurrence, ici, **Three Men in a Boat** ;

• d'améliorer leur connaissance de l'anglais, en particulier dans le domaine du vocabulaire dont l'acquisition est facilitée par l'intérêt même du récit, et le fait que mots et expressions apparaissent en situation dans un contexte, ce qui aide à bien cerner leur sens.

Cette série constitue donc une véritable méthode d'auto-enseignement, dont le contenu est le suivant :

• page de gauche, le texte en anglais ;

• page de droite, la traduction française ;

• bas des pages de gauche et de droite, une série de notes explicatives (vocabulaire, grammaire, rappels historiques, etc.).

Les notes de bas de page et la liste récapitulative à la fin de l'ouvrage aident le lecteur à distinguer les mots et expressions idiomatiques d'un usage courant et qu'il lui faut mémoriser, de ce qui peut être trop exclusivement lié aux événements et à l'art de l'auteur.

Il est conseillé au lecteur de lire d'abord l'anglais, de se reporter aux notes et de ne passer qu'ensuite à la traduction ; sauf, bien entendu, s'il éprouve de trop grandes difficultés à suivre le texte dans ses détails, auquel cas il lui faut se concentrer davantage sur la traduction, pour revenir finalement au texte anglais, en s'assurant bien qu'il en a maintenant maîtrisé le sens.

Signes et principales abréviations

Prononciation

Sons voyelles

[ɪ] **pit**, un peu comme
le *i* de *site*

[æ] **flat**, un peu comme
le *a* de *patte*

[ɒ] ou [ɔ] **not**, un peu comme
le *o* de *botte*

[ʊ] ou [u] **put**, un peu comme
le *ou* de *coup*

[e] **lend**, un peu comme
le *è* de *très*

[ʌ] **but**, entre le *a* de
patte et le *eu* de *neuf*

[ə] jamais accentué, un peu
comme le *e* de *le*

Voyelles longues

[i:] **meet** [mi:t] cf. *i*
de *mie*

[ɑ:] **farm** [fɑ:m] cf. *a*
de *larme*

[ɔ:] **board** [bɔ:d] cf. *o*
de *gorge*

[u:] **cool** [ku:l] cf. *ou*
de *mou*

[ɜ:] ou [ə:] **firm** [fə:m]
cf. *e* de *peur*

Semi-voyelle :

[j] **due** [dju:],
un peu comme *diou...*

Diphtongues (voyelles doubles)

[aɪ] **my** [maɪ], cf. *aïe !*

[ɔɪ] **boy**, cf. *oyez !*

[eɪ] **blame** [bleɪm] cf. *eille* dans
bouteille

[aʊ] ou [au] **now** [naʊ]
cf. *aou* dans *caoutchouc*

[əʊ] ou [əu] **no** [nəʊ], cf. *e*
+ *ou*

[ɪə] **here** [hɪə] cf. *i* + *e*

[eə] **dare** [deə] cf. *é* + *e*

[ʊə] ou [uə] **tour** [tʊə] cf. *ou*
+ *e*

Consonnes

[θ] **thin** [θɪn], cf. *s* sifflé (langue
entre les dents)

[ð] **that** [ðæt], cf. *z* zézayé
(langue entre les dents)

[ʃ] **she** [ʃi:], cf. *ch* de *chute*

[ŋ] **bring** [brɪŋ], cf. *ng* dans
ping-pong

[ʒ] **measure** ['meʒə], cf. le *j* de
jeu

[h] le *h* se prononce ; il est
nettement <u>expiré</u>

Accentuation

' accent unique ou principal, comme dans MOTHER ['mʌðə]
, accent secondaire, comme dans PHOTOGRAPHIC [,fəutə'græfɪk]

* indique que le *r*, normalement muet,
est prononcé en liaison ou en américain

Préface

C'est à Walsall, dans le Staffordshire, que Jerome Klapka Jerome naquit le 2 mai 1859. Son père, Jerome Clapp Jerome, pauvre prédicateur d'une église non conformiste, lui donna son deuxième prénom en l'honneur d'un général hongrois en exil, ami de la famille, George Klapka. La famille vint s'installer à Poplar, un quartier de l'East End de Londres, où Jerome père travailla comme quincailler. Jerome quitta l'école à l'âge de quatorze ans. L'année suivante, sa mère mourut et il entra à la compagnie de chemin de fer de Londres et du Nord-Ouest, comme employé à la gare de Euston. Il logeait dans de très modestes pensions et passait une partie de ses loisirs à se cultiver dans la bibliothèque du British Museum. Des emplois de figurant lui donnèrent goût au théâtre et il fit, en tant que comédien, des tournées en province pendant trois ans, découvrant un monde qu'il décrira de façon amusante dans son récit *On the stage and Off (Sur la scène)* en 1885. Jerome fit ensuite divers métiers : reporter, agent parlementaire et instituteur. En 1888 il épousa Georgina Stanley dont il eut une fille. Le succès de *Idle Thoughts of an Idle Fellow (Pensées paresseuses d'un paresseux)* en 1889 l'incita à devenir journaliste dans un magazine dont il devint l'échotier et lui donna une réputation d'humoriste que confirma à tout jamais, la même année, l'immense succès de *Three Men in a Boat to say nothing of the dog (Trois hommes dans un bateau)*.

En 1892, il devint, avec Robert Barr et G.B. Burgin, corédacteur en chef du magazine mensuel *The Idler* et il lança, en 1893, son propre hebdomadaire, *To-Day*. Une condamnation pour diffamation, en 1897, obligea à vendre les deux titres.

Il commença alors à écrire sérieusement pour le théâtre, surtout de nombreuses pièces en un acte et de lever de rideau.

Sa pièce *New Lamps for Old* avait, en 1890, connu un certain succès qui fut cependant éclipsé par ceux de *Miss Hobbs*, en 1900, et surtout de *The Passing of the Third Floor Back (Le locataire du troisième étage)*. Cette dernière fut présentée au public londonien le 1er septembre 1908 et resta à l'affiche pendant sept ans, en Grande-Bretagne et aux États-Unis.

En 1902, il écrivit un roman autobiographique intitulé *Paul Kelver* et son autobiographie, *My Life and Times (Ma vie et mon époque)*, parut en 1926.

Pendant la Première Guerre mondiale, il se porta volontaire, servit en France comme ambulancier et fut envoyé comme agent de propagande à Washington.

Il se retira à la campagne et passa les dernières années de sa vie à Marlow dans le Buckinghamshire. Alors qu'il voyageait en Angleterre, il fut victime d'une hémorragie cérébrale et mourut à l'hôpital de Northampton, le 14 juin 1927. Il est enterré à Ewelm dans l'Oxfordshire, dans le chœur de l'église, où se trouve également la sépulture du fils de Chaucer.

Aujourd'hui, on ne se souvient plus guère du Jerome auteur dramatique mais son nom reste indissociablement lié au chef-d'œuvre d'humour anglais qu'est, sans conteste, *Three Men in a Boat*. Le succès de l'ouvrage fut immédiatement considérable et un million d'exemplaires pirates furent vendus aux États-Unis. Traduit dans de très nombreuses langues, il devint célèbre partout dans le monde et, en particulier, en Russie et en Allemagne où il fut même mis au programme des écoles. Les éléments autobiographiques sont nombreux dans le livre où l'auteur se fait narrateur et personnage principal, mais il prend ses distances pour se mettre en scène et se moquer de lui-même autant que des autres personnages.

L'ironie n'est jamais mordante et la bienveillance ne sombre jamais dans la complaisance. Bien que fin psychologue et analyste méticuleux des travers des hommes et de la société de son temps, Jerome va bien au-delà de la comédie de mœurs et donne aux situations burlesques dans lesquelles il plonge ses personnages et aux réactions souvent à contretemps, inattendues et exagérées de ceux-ci, une résonance universelle. La comédie humaine qu'il décrit est celle de la douloureuse et ridicule inadéquation de l'homme, non seulement aux objets qui l'environnent (telle que la filmera Jacques Tati), mais aussi aux autres hommes, dans cette incompréhension mutuelle que seul l'humour peut sauver de la débâcle métaphysique et de la tragédie (telle que la donnera le théâtre de l'absurde). Si l'on retrouve dans l'œuvre de Jerome les influences évidentes de Dickens et de Mark Twain, on peut dire que l'originalité et les qualités littéraires de *Three Men in a Boat* étaient suffisamment fortes pour lui assurer une célébrité qui n'a pas pâli et qui fait encore, un siècle après, de ce récit, un des plus grands textes d'humour de la littérature anglaise.

THREE MEN IN A BOAT

TROIS HOMMES DANS UN BATEAU

Extrait n°1 (chapitre 1)

There were four of us – George, and William Samuel Harris, and myself, and Montmorency. We were sitting in my room, smoking, and talking about how bad we were – bad from a medical point of view I mean, of course.

We were all feeling seedy [1], and we were getting quite nervous about it. Harris said he felt such extraordinary fits of giddiness [2] come over him at times, that he hardly knew what he was doing; and then George said that *he* had fits of giddiness too, and hardly knew what *he* was doing. With me, it was my liver that was out of order [3]. I knew it was my liver that was out of order, because I had just been reading a patent [4] liver-pill circular [5], in which were detailed various symptoms by [6] which a man could tell when his liver was out of order. I had them all.

It is a most extraordinary thing, but I never read a patent medicine advertisement without being [7] impelled [8] to the conclusion that I am suffering from the particular disease therein [9] dealt with, in its most virulent form. The diagnosis seems in every case to correspond exactly with all the sensations that I have ever felt.

I remember going to the British Museum [10] one day to read up the treatment for some slight ailment [11] of which I had a touch – hay fever, I fancy it was. I got down the book, and read all I came to read; and then, in an unthinking moment [12], I idly turned the leaves, and began to indolently study diseases, generally. I forget which was the first distemper I plunged into – some fearful, devastating scourge [13], I know – and, before I had glanced half down the list of "premonitory [14] symptoms", it was borne in upon me [15] that I had fairly [16] got it.

---

1. **seedy** (fam.) : *miteux, minable* (vêtement, personne, hôtel). Vient de *seed* : *graine*, et indique au sens premier qqch ou qqn qui a l'apparence d'une plante montée en graine.

2. **giddiness** a un sens général de *(état de) vertiges, éblouissements*. Fit sert à singulariser le malaise *(accès, attaque)* : cf. **a fit of anger** : *un accès de colère*.

3. **to be out of order** : *être détraquée, en panne* (machine) ; *être en dérangement* (ligne téléphonique).

4. **patent medicine** : *spécialité pharmaceutique*.

5. **circular** : *prospectus* (distribué à tous les clients).

6. **by** a ici le sens de *au moyen de*.

7. le gérondif est obligatoire après **without**.

8. **to impel sbd to do sth** : *pousser, inciter qqn à faire qqch*.

Nous étions quatre : George, William Samuel Harris et moi-même, ainsi que Montmorency, mon chien. Réunis dans ma chambre, nous fumions en discutant de notre mauvais état — mauvais du point de vue médical, bien entendu.

Nous étions tous patraques et cela commençait à nous inquiéter. Harris dit qu'il était parfois pris de vertiges si extraordinaires qu'il ne se rendait pour ainsi dire plus compte de ce qu'il faisait ; et c'est alors que George dit que lui aussi avait des vertiges et ne se rendait pour ainsi dire plus compte de ce que, lui, faisait. Chez moi, c'était le foie qui fonctionnait mal. Je savais que c'était le foie qui fonctionnait mal, parce que je venais justement de lire une réclame pour des pilules pour le foie, dans laquelle on dressait la liste des divers symptômes permettant de voir que l'on a le foie détraqué. Je les présentais tous.

C'est une chose tout à fait curieuse, mais je ne peux pas lire une réclame de médicament sans être amené à conclure que je souffre du mal particulier dont il est question, sous la forme la plus aiguë. Le diagnostic me paraît, à chaque fois, correspondre exactement à tout ce que je ressens.

Je me souviens d'être un jour allé au British Museum pour me renseigner sur le traitement d'une affection bénigne dont j'étais atteint ; il s'agissait, je crois, du rhume des foins. Je pris le livre et lus tout l'article que j'étais venu consulter. Puis, dans un moment de distraction, je tournai négligemment les pages et me mis tranquillement à étudier les maladies en général. Je n'ai plus souvenir de la première affection dans laquelle je me suis plongé — c'était, en tout cas, un fléau terrible et dévastateur — mais, avant même d'avoir parcouru la moitié de la liste des premiers symptômes, j'eus la conviction que je l'avais bel et bien attrapée.

---

9. **therein** = in that : *(là-) dedans*. Ici = **the particular disease that is dealt with in that advertisement.**
10. il y a dans ce célèbre musée de Londres, fondé en 1753, une bibliothèque de plus de deux millions de volumes.
11. **an ailment :** *une affection ;* **to ail :** *souffrir, être souffrant.*
12. *« où l'on ne pense pas/où l'on ne réfléchit pas. »*
13. **scourge** [skɔːdʒ] a le sens premier de *fouet* **(whip)**, d'où celui de *châtiment divin*, puis de *cause de calamité, fléau.*
14. **premonitory :** *prémonitoire, précurseur.*
15. *« je me laissai convaincre que... », « l'idée s'implanta dans mon esprit que... »*
16. **fairly** est ici synonyme de **utterly, fully :** *absolument.*

I sat for à while frozen [1] with horror; and then in the list-lessness of despair [2], I again turned over the pages. I came to typhoid fever – read the symptoms – discovered that I had typhoid fever, must have had it for months without knowing it – wondered what else I had got; turned up St Vitus's Dance – found, as I expected, that I had that too – began to get interested in my case, and determined to sift [3] it to the bottom, and so started alphabetically – read up [4] ague [5], and learnt that I was sickening [6] for it, and that the acute stage would commence in about another fortnight. Bright's disease [7], I was relieved to find, I had only in a modified form, and, so far as that was concerned, I might [8] live for years. Cholera I had, with severe complications; and diphtheria I seemed to have been born with. I plodded [9] conscientiously through the twenty-six letters, and the only malady I could conclude I had not got was housemaid's knee [10].

I felt rather hurt about this at first; it seemed somehow to be a sort of slight [11]. Why hadn't I got housemaid's knee? Why this invidious [12] reservation? After a while, however, less grasping feelings prevailed. I reflected that I had every other [13] known malady [14] in the pharmacology, and I grew less selfish, and determined to do without housemaid's knee. Gout, in its most malignant stage, it would appear, had seized me without my being aware of it; and zymosis [15] I had evidently been suffering with from boyhood. There were no more diseases after zymosis, so I concluded there was nothing else the matter with me.

---

1. **to freeze, froze, frozen** : *geler.*
2. « *l'apathie du désespoir* » ; *listless* : *indolent, amorphe, sans énergie.*
3. **to sift** : *passer au tamis, au crible ;* cf. **sieve** [siv] : *crible, tamis, passoire.*
4. **to read up** : *acquérir la connaissance d'un sujet en lisant.*
5. **ague** ['eigju:] : *fièvre intermittente.*
6. **to be sickening for an illness** : *couver une maladie.*
7. le mal de Bright sert à désigner plusieurs types d'affection aiguës ou chroniques des reins, en général accompagnées d'albumine.
8. **might** n'indique qu'une faible éventualité.
9. **to plod** : *marcher lourdement, avancer péniblement ; peiner, trimer.*

Je restai un moment glacé d'horreur. Puis, abattu par le désespoir, je me remis à tourner les pages. J'en vins à la fièvre typhoïde, en lus les symptômes, découvris que j'avais la fièvre typhoïde et devais l'avoir depuis des mois sans le savoir. Je me demandai ce que je pouvais bien avoir encore, arrivai à la page de la danse de Saint-Guy et constatai, comme je m'y attendais, que je l'avais aussi. Je commençai à m'intéresser à mon cas et me résolus à le passer au crible. Je procédai donc par ordre alphabétique, lus ce qui concernait l'angine et appris que j'en étais atteint et que le stade aigu commencerait dans une quinzaine. Le mal de Bright, j'en fus soulagé, je n'en souffrais que sous une forme bénigne, et, à cet égard, je pouvais encore vivre des années. Le choléra, je l'avais avec des complications graves et la diphtérie, il semblait que je l'avais à la naissance. Je parcourus péniblement et consciencieusement les vingt-six lettres de l'alphabet et arrivai à la conclusion que la seule maladie que je n'avais pas était l'hydarthrose du genou.

J'en fus d'abord un peu vexé, cela paraissait presque une sorte d'affront. Pourquoi n'avais-je pas d'hydarthrose du genou ? Pourquoi cette restriction désobligeante ? Après un certain temps, toutefois, des sentiments moins mesquins s'imposèrent. Je réfléchis que j'avais toutes les autres maladies connues de la pharmacologie et, devenant moins égoïste, je me résolus à me passer de l'hydarthrose du genou. La goutte, sous sa forme la plus maligne, semblait-il, s'était emparée de moi à mon insu ; et la zymosis, j'en souffrais, évidemment, depuis l'enfance. Il n'y avait plus d'autre maladie après la zymosis, c'est pourquoi j'en conclus que je n'avais rien d'autre.

---

10. **housemaid's knee :** inflammation du genou que peut causer un long agenouillement sur des sols durs (requis par les travaux des femmes de ménage).
11. **slight :** *manque d'égards, humiliation, offense.*
12. **invidious :** *qui excite la haine* ou *suscite la jalousie.*
13. **every other** = all the other.
14. **malady** est beaucoup plus littéraire que **disease**.
15. **zymosis :** sorte de fermentation provoquant une maladie infectieuse.

I sat and pondered [1]. I thought what an interesting case I must be from a medical point of view, what an acquisition I should [2] be to a class! Students would have no need "to walk [3] the hospitals", if they had me. I was a hospital in myself [4]. All they need do would be to walk round me, and, after that, take their diploma.

Then I wondered how long I had to live. I tried to examine myself. I felt my pulse. I could not at first feel any pulse at all. Then, all of a sudden, it seemed to start off. I pulled out my watch and timed it. I made it [5] a hundred and forty-seven to the minute. I tried to feel my heart. I could not feel my heart. It had stopped beating. I have since been induced [6] to come to the opinion that it must have been there all the time, and must have been beating [7], but I cannot account for [8] it. I patted myself all over my front, from what I call my waist up to my head, and I went a bit round each side, and a little way up the back. But I could not feel or hear anything. I tried to look at my tongue. I stuck it out [9] as far as ever [10] it would go, and I shut one eye, and tried to examine it with the other. I could only see the tip, and the only thing that I could gain from that was to feel more certain than before that I had scarlet fever.

I walked into that reading-room a happy healthy man. I crawled out [11] a decrepit [12] wreck [13].

I went to my medical man. He is an old chum [14] of mine, and feels my pulse, and looks at my tongue, and talks about the weather, all for nothing [15], when I fancy I'm ill; so I thought I would do him a good turn by going to him now.

---

1. **to ponder over sth** : *réfléchir/méditer sur qqch.*
2. **should** est utilisé dans des phrases exclamatives pour exprimer une réaction personnelle à un événement et l'importance de cet événement.
3. **to walk** peut être transitif et signifier *faire à pied*, *parcourir* (cf. **to walk the streets**), mais aussi *faire marcher*, *promener* (cf. **to walk a dog**).
4. « *en moi-même.* »
5. **make it** a ici le sens de **achieve** : *parvenir (à)*, *réussir*.
6. **to induce (a reaction)** : *provoquer*, *amener* ; to induce sbd to do sth : *persuader*, *inciter qqn à faire qqch.*
7. « *il devait battre* » ; **must** a ici valeur de quasi-certitude.
8. **to account for sth** : *rendre compte de*, *justifier*, *expliquer qqch.*
9. **to stick out** : *faire dépasser*, *faire sortir* ; cf. **to stick one's chest**

16

Je restai à méditer. Quel cas intéressant je devais être d'un point de vue médical ! Quelle aubaine je serais pour un cours ! Les étudiants n'auraient pas besoin de « courir les hôpitaux », s'ils m'avaient. J'étais un hôpital à moi tout seul. Tout ce qu'ils auraient à faire serait de m'étudier, puis, après, de recevoir leur diplôme.

Je me suis alors demandé combien de temps il me restait à vivre. J'essayai de m'examiner. Je me tâtai le pouls. Je ne réussis pas, tout d'abord, à le sentir. Puis, tout à coup, il parut se mettre en route. Je sortis ma montre et chronométrai mes pulsations. J'en comptai cent quarante-sept à la minute. J'essayai de tâter mon cœur. Impossible de tâter mon cœur. Il s'était arrêté. J'en suis, depuis, arrivé à me dire qu'il avait dû toujours être là et n'avait pas cessé de battre, mais je n'en répondrais pas. Je me tapotai tout le devant du corps, de ce que j'appelle ma taille jusqu'à ma tête, ainsi qu'un peu de chaque côté et je remontai légèrement dans le dos. Mais je ne parvins pas à sentir ou à entendre quoi que ce fût. Je tâchai de regarder ma langue. Je la tirai le plus possible et fermai un œil pour essayer de l'examiner avec l'autre. Je ne réussis qu'à en voir le bout et la seule chose que j'y gagnai ce fut de me persuader encore davantage que j'avais la scarlatine.

J'étais rentré dans cette salle de lecture sain et heureux. J'en sortis sur les genoux, à l'état de loque humaine.

J'allai voir mon médecin. C'est un de mes vieux camarades et il me tâte le pouls, me regarde la langue et me parle de la pluie et du beau temps, tout ça gratuitement, quand je me figure que je suis malade. Je crus donc que ce serait lui rendre service que d'aller alors le voir.

---

out : *bomber le torse*. Peut être aussi intransitif ; cf. **his ears stick out** : *il a les oreilles décollées*.

10. **ever** a ici valeur de renforcement par rapport à « **as far as it would go** », comme dans **the first ever** *(le tout premier)* ou **I am ever so sorry** *(je regrette infiniment)*.

11. **to crawl** a le sens premier de *ramper*, mais aussi celui de *marcher lentement, en se traînant*.

12. **decrepit** [di'krepit] **:** *usé par l'âge, affaibli par les infirmités*.

13. **a wreck** ['rek] **:** *une épave*.

14. **chum** *(copain)* est un terme familier et un peu désuet.

15. *« tout cela pour rien. »*

"What a doctor wants", I said, "is practice. He shall [1] have me. He will get more practice out of me than out of seventeen hundred of your ordinary, commonplace [2] patients, with only one or two diseases each". So I went straight up [3] and saw him, and he said:

"Well, what's the matter with you?"

I said:

"I will not take up [4] your time, dear boy, with telling you what is the matter with me. Life is brief, and you might pass away [5] before I had finished. But I will tell you what is *not* the matter with me. I have not got housemaid's knee. Why I have not got housemaid's knee, I cannot tell you; but the fact remains that I have not got it. Everything else, however, I *have* got."

And I told him how I came to discover it all.

Then he opened me [6] and looked down me [7], and clutched hold [8] of my wrist, and then he hit me over [9] the chest when I wasn't expecting it — a cowardly [10] thing to do, I call it [11] — and immediately afterwards butted [12] me with the side of his head. After that, he sat down and wrote out a prescription, and folded it up [13] and gave it me, and I put it in my pocket and went out.

I did not open it. I took it to the nearest chemist's, and handed it in [14]. The man read it, and then handed it back.

He said he didn't keep it [15].

I said:

"You are a chemist?"

He said:

---

1. usage un peu vieilli de **shall** à la 3e personne pour exprimer un engagement à valeur affective de la part du locuteur.
2. **commonplace :** *banal, commun, ordinaire ;* cf. **a commonplace ;** *un lieu commun.*
3. **up** indique ici un mouvement vers le haut et s'applique au verbe : **to go up**.
4. **up** a ici le sens de *entier, jusqu'au bout ;* cf. **to take up :** *occuper, remplir* (le temps, l'espace ou l'attention).
5. **to pass away** est un euphémisme pour **to die**. On utilise aussi dans ce sens **to pass on** ou **to pass over**. **To pass away** peut avoir aussi le sens de *faire passer le temps.*
6. a ici le sens de **he opened my mouth.**
7. littéralement, *plongea le regard dans moi.* Comme le verbe précédent, cette expression donne l'impression que le patient est considéré comme un objet.

« Ce dont un médecin a besoin, me dis-je, c'est de pratique. Il m'aura, moi. Et il acquerra plus de pratique avec moi qu'avec dix-sept cents de ces vulgaires malades qui n'ont chacun pas plus d'une ou deux maladies. »

Aussi montai-je directement chez lui, et en me voyant il me dit :

« Eh bien, qu'est-ce que tu as ? »

Je lui répondis :

« Je ne vais pas te faire perdre ton temps, mon vieux, en te racontant ce que j'ai. La vie est brève et tu risquerais fort de ne plus être de ce monde avant que j'aie fini. Je préfère te dire ce que je n'ai pas. Je n'ai pas d'hydarthrose du genou. Pourquoi l'hydarthrose du genou m'a-t-elle épargné, je n'en sais rien ; mais le fait est que je n'ai pas cette maladie. Toutes les autres maladies, cependant, je les ai. »

Et je lui contai comment j'étais arrivé à cette découverte.

Il me fit alors ouvrir la bouche et jeta un coup d'œil dans ma gorge, me saisit le poignet, puis me tapa sur la poitrine alors que je ne m'y attendais pas — ce qui est une lâcheté, à mon sens — et, tout de suite après, y accola brutalement son oreille. Après quoi, il s'assit, rédigea une ordonnance, la plia et me la remit. Je la glissai dans ma poche et m'en allai.

Je ne l'ouvris pas. Je la portai au pharmacien le plus proche et la lui présentai. Il la lut et me la rendit en me disant qu'il ne faisait pas ça.

Je lui demandai :

« Vous êtes bien pharmacien ? »

Il répondit :

---

8. **to clutch hold of sth** = to clutch at sth : *s'agripper, se cramponner à qqch.*

9. **over** : *dessus, sur.*

10. **cowardly** peut être adjectif *(lâche)* ou adverbe *(lâchement).*

11. *faire une lâcheté, j'appelle ça.*

12. **to butt sbd/sth** : *donner un coup de tête à qqn/qqch.*

13. **to fold up** : *plier, replier en mettant une partie sur l'autre.*

14. **to hand in** : *donner* (à la main), *remettre* (ici le malade ne sert que d'intermédiaire) ; **to hand out** : *distribuer* ; **to hand back** : *redonner.*

15. *il n'avait pas ça en magasin.*

"I am a chemist. If I was a co-operative stores and family hotel combined, I might be able to oblige [1] you. Being only a chemist hampers [2] me."

I read the prescription. It ran:

1 lb beefsteak, with 1 pt bitter beer every 6 hours.
1 ten-mile walk every morning. 1 bed at 11 sharp every night.

And don't stuff up your head with things you don't understand.

I followed the directions, with the happy result − speaking for myself − that my life was preserved, and is still going on.

In the present instance, going back to the liver-pill circular, I had the symptoms, beyond all mistake [3], the chief among them [4] being "a general disinclination [5] to work of any kind".

What I suffer in that way no tongue can tell. From my earliest infancy [6] I have been a martyr [7] to it. As a boy [8], the disease hardly [9] ever left me for a day. They did not know, then, that it was my liver. Medical science was in a far less advanced state than now, and they used to put it down [10] to laziness.

"Why, you skulking [11] little devil, you", they would say, "get up and do something for your living, can't you? [12]" − not knowing, of course, that I was ill.

And they didn't give me pills; they gave me clumps [13] on the side of the head. And, strange as it may appear, those clumps on the head often cured me − for the time being.

---

1. **to oblige** a ici le sens de *rendre service*.
2. **to hamper :** *embarrasser, gêner, empêcher*.
3. *hors de toute erreur*. **Beyond** a le sens de **surpassing** ; *au-delà, au-dessus* ; cf. **beyond doubt** : *hors de doute*.
4. *d'entre eux, parmi eux*.
5. **disinclination :** *répugnance, aversion* ; **to show a disinclination to do sth** : *montrer peu d'empressement à faire qqch*.
6. **infancy :** *petite enfance*.
7. △ à la prononciation de *martyr* ['mɑ:tə].
8. = **when I was a boy**.
9. **hardly** est un adverbe semi-négatif et ne peut donc pas être suivi d'une autre négation, c'est pourquoi l'on a **hardly ever**.

« Je suis pharmacien. Si j'étais une boutique coopérative et une pension de famille réunies, je pourrais peut-être vous satisfaire. N'étant que pharmacien, cela m'est impossible. »

Je lus l'ordonnance. Elle indiquait :

« Une livre de bifteck, plus une pinte de bière ambrée toutes les six heures. Une promenade de quinze kilomètres chaque matin. Au lit à onze heures précises chaque soir. Et ne vous bourrez pas le crâne de choses que vous ne comprenez pas. »

Je suivis les instructions avec le résultat heureux — du moins en ce qui me concerne — de sauver ma vie, qui dure toujours.

Dans le cas présent, pour en revenir à la réclame de pilules pour le foie, j'avais indéniablement les symptômes, le principal étant « un manque d'entrain généralisé pour toute forme de travail ».

Il est impossible de dire combien j'en souffre. C'est un martyre qui a commencé dès ma plus tendre enfance. Et, plus grand, le mal ne me quitta pratiquement pas un seul jour. On ne savait pas, à l'époque, que c'était dû à mon foie. La science médicale était alors beaucoup moins avancée qu'aujourd'hui et ils mettaient ça sur le compte de la paresse. On me disait :

« Allez, satané petit fainéant, lève-toi. Tu ne feras donc jamais rien pour gagner ta vie ? »

On ne savait bien sûr pas que j'étais malade. Et ils ne me donnaient pas de pilules, ils me donnaient des taloches sur le coin de l'oreille. Et aussi étrange que cela puisse paraître, ces taloches me guérissaient souvent, pour un petit moment.

---

10. **to put sth down to sbd, sth** : *attribuer, imputer qqch à qqn, qqch.*
11. **to skulk (about)** : *rôder en se cachant, furtivement.*
12. **can't you?** est, avec un impératif à la 2e personne, une **question tag** plus catégorique et plus polie que **will you?** ou **won't you?**
13. **to give sbd a clump on the head** : (fam.) *flanquer une taloche à qqn.*

I have known one clump on the head have more effect upon my liver [1], and make me feel more anxious to go straight away then and there, and do what was wanted to be done [2], without further loss of time, than a whole box of pills does now.

You know, it often is so – those simple, old-fashioned remedies are sometimes more efficacious [3] than all the dispensary [4] stuff.

We sat there for half an hour, describing to each other our maladies. I explained to George and William Harris how I felt when I got up in the morning, and William Harris told us how he felt when he went to bed; and George stood on the hearth-rug [5], and gave us a clever and powerful piece of acting [6], illustrative [7] of how he felt in the night.

George *fancies* he is ill: but there's never anything really the matter with him, you know.

At this point, Mrs Poppets knocked at the door to know if we were ready for supper. We smiled sadly at one another [8], and said we supposed we had better [9] try to swallow a bit. Harris said a little something in one's [10] stomach often kept the disease in check [11]; and Mrs Poppets brought the tray in [12], and we drew up to the table [13], and toyed [14] with a little steak and onions, and some rhubarb tart.

I must have been very weak at the time; because I know, after the first half-hour or so, I seemed to take no interest whatever [15] in my food – an unusual thing for me – and I didn't want any cheese.

This duty done, we refilled [16] our glasses, lit [17] our pipes, and resumed the discussion upon our state of health.

---

1. m. à m. *j'ai vu une taloche avoir plus d'effet sur mon foie que...*
2. *ce qu'on voulait qui soit fait.* Remarquez la forme passive, beaucoup plus fréquente en anglais qu'en français.
3. **efficacious** [efi'keiʃəs] s'emploie surtout pour les médicaments.
4. **dispensary :** *officine* (d'une pharmacie).
5. **hearth-rug :** *tapis* que l'on trouve devant l'âtre.
6. **acting :** fait de jouer la comédie ; cf. **a piece of acting :** *un numéro d'acteur*.
7. **illustrative** ['iləstreitiv] **:** *éclairant*.
8. **one another = each other :** *l'un à l'autre.* Quand on parle de personnes en particulier on utilise les deux (cf. **they smiled at each other/one another**), mais pour des généralités on emploie **one another** (ex. : **to smile at one another**).

Certaines d'entre elles ont eu plus d'effet sur mon foie et m'ont davantage incité à aller immédiatement là où il le fallait et à faire ce que je devais faire sans perdre de temps que ne le fait à présent toute une boîte de pilules.

Vous savez, c'est souvent le cas : les simples remèdes de bonne femme sont parfois plus efficaces que toute la pharmacopée.

Nous restâmes là une demi-heure à nous décrire nos maladies. J'expliquai à George et à William Harris ce que je ressentais quand je me levais le matin et William Harris nous dit ce qu'il ressentait quand il allait se coucher et George se mit debout devant la cheminée et nous fit une démonstration convaincante et talentueuse des sensations qu'il éprouvait la nuit.

George s'imagine qu'il est malade, mais en fait, vous savez, il n'a jamais rien.

Nous en étions là quand Mme Poppets frappa à la porte pour savoir si nous étions disposés à souper. Nous échangeâmes un sourire triste et répondîmes que nous devrions sans doute essayer de manger un morceau. Harris dit qu'un petit quelque chose dans l'estomac mettait souvent la maladie en échec. Mme Poppets amena le plateau et nous nous mîmes à table pour grignoter un peu de rumsteck aux oignons et de la tarte à la rhubarbe.

Je devais être très affaibli à l'époque, car je me souviens qu'au bout d'une demi-heure à peu près, je n'ai plus eu aucun goût à manger — ce qui m'arrive rarement — et je n'ai pas voulu de fromage.

Ce devoir accompli, nous nous reversâmes à boire, allumâmes nos pipes et reprîmes la discussion sur notre état de santé.

---

9. **had better** est toujours suivi d'un verbe à l'infinitif sans **to**.
10. **one's :** adjectif possessif correspondant au pronom indéfini **one**.
11. **to keep in check** est un terme militaire signifiant *tenir en échec, maîtriser, contenir*.
12. **in** = **in the room**.
13. *nous nous rapprochâmes de la table.*
14. **to toy with sth :** *jouer, s'amuser avec qqch*, ici *manger du bout des dents, grignoter*.
15. **whatever** placé après une négation a le sens de *aucun*.
16. **to refill** = to fill again : *remplir à nouveau*.
17. **to light, lit, lit :** *allumer*.

What it was that was actually the matter with us, we none of us could be sure of; but the unanimous opinion was that it – whatever it was – had been brought on [1] by overwork.

"What we want is rest", said Harris.

"Rest and a complete change", said George. "The overstrain [2] upon our brains has produced a general depression throughout [3] the system. Change of scene, and absence of the necessity for thought, will restore the mental equilibrium [4]."

George has a cousin who is usually described in the charge-sheet [5] as a medical student, so that he naturally has a somewhat family-physicianary way of putting things [6].

I agreed with George, and suggested that we should seek out some retired and old-world spot, far from the madding crowd [7], and dream away [8] a sunny week among its drowsy [9] lanes – some half-forgotten nook [10], hidden away by the fairies, out of reach of the noisy world – some quaint [11]-perched eyrie [12] on the cliffs of Time, from whence [13] the surging waves of the nineteenth century would sound far-off and faint.

Harris said he thought it would be humpy [14]. He said he knew the sort of place I meant; where everybody went to bed at eight o'clock, and you couldn't get a *Referee* [15] for love or money [16], and had to walk ten miles to get your baccy [17].

"No", said Harris, "if you want rest and change, you can't beat a sea trip."

I objected to the sea trip strongly. A sea trip does you good when you are going to have a couple of months of it, but, for a week, it is wicked [18].

---

1. **to bring (brought, brought) on** : *produire, occasionner.*
2. **strain** : *tension, effort, fatigue* ; d'où, avec le préfixe **over** (dans le sens de **in excess of**), *surmenage.*
3. **throughout** : *d'un bout à l'autre.*
4. ∆ à la prononciation **equilibrium** [iːkwiˈlibriəm].
5. **charge-sheet** : *cahier des délits et écrous* (tenu à jour dans chaque poste de police).
6. m. à m. *a une manière quelque peu familiale et clinicienne d'expliquer les choses.*
7. **Far from the Madding Crowd** est le titre d'un roman célèbre de Thomas Hardy, publié en 1874. Il est probable que Jerome K. Jerome y fait ici une allusion amusée.
8. **away** a ici le sens de continuité (de l'action) et non d'éloignement ; cf. **to work away** : *continuer à travailler.*

Ce que nous avions au juste, aucun d'entre nous n'en était sûr ; mais l'opinion unanime fut que le mal, quel qu'il fût, était dû au surmenage.

« Ce dont nous avons besoin, c'est de repos », déclara Harris.

« Du repos et un changement complet, dit George. L'extrême fatigue de notre cerveau a provoqué un affaiblissement généralisé de l'organisme. Le changement de décor et l'absence de la nécessité de penser rétabliront notre équilibre mental. »

George a un cousin qui, habituellement, sur les procès-verbaux, a la qualité d'étudiant en médecine, si bien que notre ami tient de famille une légère propension à exposer les choses de façon clinique.

J'étais d'accord avec George et proposai de chercher un coin retiré et pittoresque, loin du tourbillon de la foule où nous passerions une semaine à rêvasser au soleil, par des chemins tranquilles. Un petit coin à moitié oublié, caché par les fées, hors de portée du vacarme du monde ; un charmant nid d'aigle perché sur les falaises du Temps, d'où l'on entend à peine, au loin, battre les flots tumultueux du XIXe siècle.

Harris dit qu'il croyait que ce serait trop déprimant. Il dit qu'il connaissait le genre d'endroit auquel je faisais allusion ; où tout le monde allait se coucher à huit heures du soir, où l'on ne pouvait même pas se procurer un journal sportif et où il fallait faire quinze kilomètres à pied pour trouver du gris.

« Non, dit Harris, si on veut du repos et du changement, il n'y a rien de tel qu'une croisière en mer. »

Je m'élevai violemment contre cette idée. Une croisière en mer est bénéfique si elle dure quelques mois, mais pour une semaine, c'est un calvaire.

---

9. **drowsy** ['drauzi] : *assoupi, somnolent.*
10. **a nook :** *un coin* ; cf. **every nook and corner :** *chaque coin et recoin.*
11. **quaint :** *vieux et pittoresque.*
12. **eyrie** ['ɛəri] : *aire (d'un aigle).*
13. **(from) whence :** *(désuet et littéraire) d'où.*
14. **humpy** (fam.) **:** *qui donne le cafard* ; **to have the hump** (fam.) : *avoir le cafard.*
15. **referee :** *arbitre.* *C'est le nom du journal.*
16. **for love or money :** *gratuitement ou en payant, pour rien au monde* ; cf. **it wasn't to be had for love nor money :** *c'était introuvable.*
17. **baccy** (populaire)= **tobacco.**
18. *c'est du vice.*

You start on Monday with the idea implanted [1] in your bosom [2] that you are going to enjoy yourself. You wave [3] an airy [4] adieu [5] to the boys on shore, light your biggest pipe, and swagger [6] about the deck as if you were Captain Cook [7], Sir Francis Drake [8], and Christopher Columbus all rolled into one. On Tuesday, you wish you hadn't come. On Wednesday, Thursday, and Friday, you wish you were dead. On Saturday you are able to swallow a little beef-tea [9], and to sit up on deck, and answer with a wan, sweet smile when kind-hearted people ask how you feel now. On Sunday, you begin to walk again, and take solid food. And on Monday morning, as, with your bag and umbrella in your hand, you stand by the gunwale [10], waiting to step ashore, you begin to thoroughly like it.

I remember my brother-in-law going for a short sea trip once for the benefit of his health. He took a return berth [11] from London to Liverpool: and when he got to Liverpool, the only thing he was anxious about was to sell that return ticket.

It was offered round the town at a tremendous reduction, so I am told; and was eventually sold for eighteen-pence to a bilious [12]-looking youth who had just been advised by his medical men to go to the seaside, and take exercise.

"Seaside!" said my brother-in-law, pressing the ticket affectionately into his hand: "why, you'll have enough to last you a lifetime; and as for [13] exercise! why, you'll get more exercise, sitting down on that ship [14], than you would turning somersaults on dry [15] land."

He himself – my brother-in-law – came back by train. He said the North-Western Railway [16] was healthy enough for him.

---

1. **to implant** [im'plɑ:nt] : *implanter, inculquer*.
2. **bosom** ['buzəm] : *giron, sein ; cœur* (sens figuré).
3. **to wave** : *agiter* (le bras, un mouchoir), *faire signe de la main*.
4. **airy** : *léger, insouciant, désinvolte*.
5. **adieu** : [ə'dju:].
6. **to swagger (about, along)** : *plastronner, parader, faire le fanfaron*.
7. James Cook (1728-1779), navigateur anglais célèbre par ses expéditions dans l'océan Pacifique, qui lui permirent de découvrir notamment la Nouvelle-Zélande et les côtes orientales de l'Australie.
8. Francis Drake, navigateur anglais du XVIe siècle, qui explora

On part le lundi avec l'idée bien arrêtée que l'on va s'amuser. On fait, d'un air dégagé, un signe d'adieu aux amis restés sur la côte, on allume sa plus grosse pipe, on fait le fanfaron sur le pont comme si l'on était le capitaine Cook, Sir Francis Drake et Christophe Colomb réunis. Le mardi, on regrette d'être venu. Le mercredi, le jeudi et le vendredi, on regrette d'être encore en vie. Le samedi, on est en état d'avaler un peu de bouillon, de s'asseoir sur le pont et de répondre avec un pâle et doux sourire quand des gens compatissants vous demandent si vous allez mieux. Le dimanche on recommence à marcher et à prendre de la nourriture solide. Et le lundi matin lorsque, sac et parapluie à la main, on se tient près du plat-bord, prêt à débarquer, on commence à aimer tout à fait cela.

Cela me rappelle l'aventure de mon beau-frère qui partit une fois faire une petite croisière en mer pour raisons de santé. Il prit une cabine, aller-retour, de Londres à Liverpool, et dès son arrivée à Liverpool n'avait plus qu'un désir : celui de revendre son billet de retour.

D'après ce qu'on m'a dit, il fit le tour de la ville en le proposant avec une énorme réduction et le vendit finalement, pour dix-huit pence, à un jeune homme au teint bilieux, à qui ses médecins avaient recommandé l'air de la mer et l'exercice.

« L'air de la mer ! lui dit mon beau-frère en lui glissant tendrement le billet dans la main ; mais, vous allez en avoir là pour toute votre vie ; et quant à l'exercice ! Eh bien, vous ferez plus d'exercice, assis sur ce bateau, que si vous faisiez des sauts périlleux sur la terre ferme. »

Et lui, mon beau-frère, revint en train. Il dit que le chemin de fer du Nord-Ouest était bien assez bon pour sa santé.

---

les côtes d'Amérique du Sud et prit une part importante dans la victoire sur la flotte espagnole (l'Invincible Armada) en 1588.
9. **beef-tea** : *bouillon de bœuf.*
10. le *plat-bord* est la ceinture en bois qui entoure le pont.
11. **berth** [bə:θ] : *couchette* (de passager). Homonyme de **birth**.
12. **bilious** : *provenant d'un excès ou d'un dérangement de la bile.*
13. **as for** = **as regards** = **as to** : *quant à, pour ce qui est de.*
14. *à vous asseoir sur ce bateau.*
15. **dry** : *sec.*
16. c'est au service de cette compagnie que l'auteur a commencé à travailler à l'âge de quinze ans.

Extrait n° 2 (chapitre 3)

Après deux autres anecdotes saisissantes sur les méfaits du mal de mer et bien qu'aucun des trois amis ne reconnaisse en souffrir personnellement, ils renoncent bien promptement à la proposition de Harris. George lance alors l'idée d'une croisière sur la Tamise, à laquelle tous se rangent, sauf Montmorency qui n'y voit aucun intérêt mais qui, mis en minorité, doit s'incliner.

Il faut ensuite décider s'ils passeront la nuit sous la tente ou dans des auberges. Harris met un terme à une évocation lyrique des joies du camping sous un ciel étoilé en énumérant tous les désagréments que la pluie réserve aux campeurs. Ainsi ramenés à la réalité de façon très terre à terre, ils adoptent un compromis : ils ne coucheront dehors que les nuits de beau temps. Cela convient à Montmorency dont on nous dit que, malgré son air qui attire immédiatement la sympathie et la pitié, c'est un chien dont la vie est remplie de mauvaises fréquentations, de bagarres et de poulets assassinés. La séance est levée pour se rendre au café le plus proche.

So, on the following evening, we again assembled, to discuss and arrange [1] our plans. Harris said:

"Now, the first thing to settle [2] is what [3] to take with us. Now, you get a bit of paper and write down, J., and you get the grocery catalogue, George, and somebody give me a bit of pencil, and then I'll make out a list."

That's Harris all over [4] – so ready to take the burden of everything himself, and put it on the backs of other people.

He always reminds me of [5] my poor Uncle Podger. You never saw such a commotion [6] up and down [7] a house in all your life, as when my Uncle Podger undertook [8] to do a job. A picture would [9] have come home from the frame-maker's, and be standing in the dining-room, waiting to be put up; and Aunt Podger would ask what was to be done with it, and Uncle Podger would say:

"Oh, you leave that to *me*. Don't you, any of you, worry yourselves about that. *I'll* do all that."

And then he would take off his coat, and begin. He would send the girl out for sixpenn'orth [10] of nails, and then one of the boys after [11] her to tell her what size to get; and, from that, he would gradually work down [12], and start the whole house.

"Now you go and get me [13] my hammer, Will", he would shout; "and bring me the rule [14], Tom; and I shall want the step-ladder, and I had better have a kitchen chair, too;

---

1. **to arrange** : *arranger, prendre ses dispositions.*
2. **to settle** : *décider, trancher, régler.*
3. **what** peut, après certains verbes, être suivi d'un infinitif ; cf. **I don't know what to do**, comme **where** dans **ask him where to park the car.**
4. *c'est bien Harris, c'est tout à fait Harris* ; **all over** : *d'un bout à l'autre.*
5. △ à la construction **to remind sbd of sth** : *rappeler qqch à qqn.*
6. **▲ commotion** : *agitation, branle-bas. Une commotion* : **a shock.**
7. *en haut et en bas.*
8. **to undertake, undertook, undertaken** : *entreprendre, se charger de, assumer.*
9. **would** n'a pas ici de valeur conditionnelle mais une valeur fréquentative servant à exprimer des habitudes ou caractéristiques.

Ainsi donc, le lendemain soir, nous nous réunîmes à nouveau pour discuter et mettre au point nos plans. Harris dit :

« Maintenant la première chose à régler est ce que nous emmenons avec nous. Toi Jérome, tu vas prendre un bout de papier et écrire, et toi George, tu vas aller chercher le catalogue d'épicerie, et que quelqu'un me donne un bout de crayon afin que j'établisse la liste. »

Ça, c'est du Harris tout pur : toujours prêt à se charger lui-même de tout et à faire faire la besogne aux autres.

Il me rappelle constamment mon pauvre oncle Podger. Quand mon oncle Podger entreprenait un travail, c'était un remue-ménage dans toute la maison comme vous n'en avez jamais vu. Un tableau qui venait d'arriver de chez l'encadreur se trouvait dans la salle à manger en attendant d'être posé. Ma tante Podger demandait ce qu'il fallait en faire et mon oncle répondait :

« Oh laisse-moi faire. Ne vous occupez pas de ça, ni toi ni personne. Je me charge de tout. »

Et c'est alors qu'il enlevait son manteau et commençait. Il envoyait la bonne chercher pour dix sous de clous, et, ensuite, un des garçons, chargé de courir à sa poursuite pour lui dire de quelle taille elle devait les prendre. Et à partir de là, il mettait petit à petit en branle-bas toute la maison.

« Allez, Will, va me chercher mon marteau, criait-il, et toi Tom, apporte-moi le mètre, et il me faut l'escabeau, et j'aurai besoin aussi d'une chaise de cuisine.

Quand **would** est accentué, on porte un jugement négatif sur l'action (sous-entendu « ça ne m'étonne pas, c'est tout à fait lui »).
10. **six penny.**
11. **to send sbd after sbd** : *envoyer qqn à la poursuite de qqn.*
12. **to work down** : *descendre peu à peu* (ici en faisant appel tour à tour à ceux qui se trouvaient dans la maison).
13. notez la construction **go and** + verbe ; cf. **go and shut the door !** : *va fermer la porte !*
14. **rule** : *règle graduée, mètre ; cf.* **folding rule** : *mètre pliant.*

and Jim! you run round [1] to Mr Goggles, and tell him, 'Pa's kind regards [2] and hopes his leg's better; and will he [3] lend him his spirit-level?' And don't you go [4], Maria, because I shall want somebody to hold [5] me the light; and when the girl [6] comes back she must go out again for a bit of picture-cord; and Tom! – where's Tom? – Tom, you come here; I shall want you to hand me up the picture."

And then he would lift up the picture, and drop it, and it would come out of the frame, and he would try to save the glass, and cut himself; and then he would spring [7] round the room, looking for his handkerchief. He could not find his handkerchief, because it was in the pocket of the coat he had taken off, and he did not know where he had put the coat, and all the house had to leave off [8] looking for his tools, and start looking for his coat; while he would dance round and hinder [9] them.

"Doesn't anybody in the whole house know where my coat is? I never came across such a set [10] in all my life – upon my word [11] I didn't. Six of you! – and you can't find a coat that I put down not five minutes ago! Well, of all the –"

Then he'd get up, and find that he had been sitting on it, and would call out:

"Oh, you can give it up! I've found it myself now. Might [12] just as well ask the cat to find anything as expect you people to find it."

---

1. *tu vas courir jusque...* L'adverbe **round** n'indique pas ici que le mouvement soit circulaire, mais qu'il faut courir tout du long ; **round** est synonyme de **throughout, from beginning to end.**

2. **to give sbd one's kind regards :** *adresser à qqn son bon souvenir.*

3. le style semi-direct mélange les styles direct et indirect, ici : « **will *you* lend him... ?** » et « **if *he* would lend him** ».

4. l'utilisation de **you** dans un impératif sert en général à exprimer la colère ; cf. **you get out !** *(veux-tu sortir !),* **don't you do it !** *(que je ne te prenne pas à faire ça !).*

5. ⚠ à la construction **to want sbd to do sth :** *vouloir que qqn fasse qqch.*

6. **girl** est ici synonyme de **maid-servant.**

7. **to spring, sprang, sprung :** *sauter, bondir.*

Et toi Jim, tu vas courir chez M. Goggles et lui dire que ton papa le salue bien et espère que sa jambe va mieux et pourrait-il lui prêter son niveau ? Et toi, Maria, ne t'en va pas car j'aurai besoin que quelqu'un me tienne la lampe et quand la bonne reviendra, il faudra qu'elle reparte acheter un morceau de cordelière à tableaux. Et Tom ? Où est Tom ? Tom, viens ici, j'ai besoin de toi pour me tendre le tableau. »

Et alors il soulevait le tableau et le laissait tomber. Cela le faisait sortir de son cadre et, en essayant de sauver la glace, mon oncle se coupait. Il faisait alors le tour de la pièce au galop à la recherche de son mouchoir. Il ne parvenait pas à trouver son mouchoir car celui-ci était dans la poche du manteau qu'il avait retiré et il ne savait pas où il avait mis le manteau, et il fallait que tout le monde cessât de s'occuper des outils pour se mettre à chercher le manteau, pendant que lui les gênait en leur dansant autour.

« N'y a-t-il personne dans cette maison qui sache où se trouve mon manteau ? Je n'ai jamais vu des gens aussi peu dégourdis, jamais de ma vie. Vous êtes six ! Et vous êtes incapables de trouver un manteau que j'ai posé il n'y a pas cinq minutes ! Nom de... »

Alors il se levait et, constatant qu'il était assis dessus, il s'écriait :

« Ça va, ne cherchez plus ! Je viens de le retrouver tout seul. Autant demander au chat de retrouver quelque chose que de s'attendre à ce que des gens comme vous le retrouvent. »

---

8. **to leave off** = to stop (doing sth) est aussi toujours suivi d'un gérondif quand il indique la cessation d'une action.
9. **to hinder** : *gêner, entraver, faire obstacle.*
10. **set** : *ensemble, groupe, bande* ; cf. **a set of thieves** (*une bande de voleurs*), **the jet set** (*la clientèle des jets*).
11. **upon my word** (fam.) : *ma parole !*
12. sous-entendu **I might.**

And when half an hour had been spent in [1] tying up his finger, and a new glass had been got [2], and the tools, and the ladder, and the chair, and the candle had been brought, he would have another go [3], the whole family, including the girl, and the charwoman [4], standing round in a semi-circle, ready to help. Two people would have to hold the chair, and a third would help him up [5] on it, and hold him there, and a fourth would hand him a nail, and a fifth would pass him up [6] the hammer, and he would take hold of the nail, and drop it.

"There!" he would say, in an injured [7] tone, "now the nail's gone."

And we would all have to go down on our knees and grovel [8] for it, while he would stand on the chair, and grunt [9], and want to know if he was to be kept there all the evening.

The nail would be found at last, but by that time he would have lost the hammer.

"Where's the hammer? What did I do with the hammer? Great heavens! Seven of you, gaping [10] round there, and you don't know what I did with the hammer!"

We would find the hammer for him, and then he would have lost sight [11] of the mark he had made on the wall, where the nail was to go in [12], and each [13] of us had to get up on the chair beside him, and see if we could find it; and we would each discover it in a different place, and he would call us all fools, one after another, and tell us to get down. And he would take the rule, and remeasure, and find that he wanted half thirty-one and three-eighths inches [14] from the corner and would try to do it in his head, and go mad.

---

1. **to spend one's time in doing sth :** *passer son temps à faire qqch.* On a plus couramment la construction **to spend one's time doing.**

2. notez la construction passive là où en français on utilise le pronom personnel indéfini on : *on s'était procuré un nouveau verre.*

3. **to have a go at sth :** *essayer de faire qqch.* **A go :** *un essai, une tentative* ; cf. **it's your go ! (games) :** *c'est à toi de jouer !*

4. **a charwoman :** *une femme de ménage.*

5. **help him up** = help him to climb up.

6. **up** indique le mouvement vers le haut puisque l'oncle est monté sur la chaise.

Et après qu'on eut passé une demi-heure à lui panser le doigt, à se procurer un nouveau verre et à lui amener les outils, l'escabeau, la chaise et la chandelle, il faisait une nouvelle tentative. Et toute la famille, y compris la bonne et la femme de ménage, se tenait autour de lui, en demi-cercle, prête à l'aider. Deux personnes devaient tenir la chaise et une troisième l'aider à y monter et le tenir tant qu'il y était et une cinquième lui passait le marteau et il prenait un clou et le laissait tomber.

« Ça y est, disait-il, d'un ton vexé, maintenant c'est le clou qui est parti. »

Et il fallait que nous nous mettions à genoux et que nous le recherchions à plat ventre, pendant que, debout sur la chaise, il bougonnait et voulait savoir si l'on allait le faire attendre là toute la soirée.

Enfin on trouvait le clou, mais, à ce moment-là, il avait perdu le marteau.

« Où est le marteau ? Qu'ai-je fait du marteau ? Grands dieux ! Vous êtes là à sept, bouche bée, à regarder autour de vous et vous ne savez pas ce que j'ai fait du marteau ! »

Nous lui retrouvions son marteau, mais alors il n'arrivait plus à voir la marque qu'il avait faite sur le mur, à l'endroit où devait aller le clou. Et nous devions tous, l'un après l'autre, monter sur la chaise à côté de lui pour tâcher de la découvrir et chacun d'entre nous la retrouvait à une place différente et il nous traitait tous d'imbéciles et nous demandait de descendre. Et il prenait le mètre et remesurait et découvrait qu'il fallait prendre la moitié de soixante-dix-neuf centimètres soixante-dix-neuf à partir du coin. Il essayait de faire le calcul de tête et ça le rendait fou.

---

7. **injured :** *blessé* (au propre et au figuré dans le sens d'*offensé, outragé*).

8. **to grovel** (lit.) **:** *se mettre à plat ventre, ramper.* S'emploie souvent au sens figuré ; cf. l'adjectif **grovelling** *(servile).*

9. **to grunt :** *grogner, pousser un grognement.*

10. **to gape at sth :** *regarder qqch bouche bée.*

11. **to lose (lost, lost) sight of sbd/sth :** *perdre qqch/qqn de vue.*

12. sous-entendu « **in the wall** ».

13. **each** singularise alors que **every** considère l'ensemble. **Each** est ici nécessaire puisqu'ils montent sur la chaise à tour de rôle.

14. **one inch (pouce)** = 2,54 cm.

And we would all try to do it in our heads [1], and all arrive at different results, and sneer at [2] one another. And in the general row [3], the original number would be forgotten, and Uncle Podger would have to measure it again.

He would use a bit of string this time, and at the critical moment, when the old fool was leaning over the chair at an angle of forty-five, and trying to reach a point three inches beyond what was possible for him to reach, the string would slip, and down [4] he would slide [5] on to [6] the piano, a really fine musical effect being produced by the suddenness with which his head and body struck all the notes at the same time.

And Aunt [7] Maria would say that she would not allow the children to stand round [8] and hear such language.

At last, Uncle Podger would get the spot fixed again, and put the point of the nail on it with his left hand, and take the hammer in his right hand. And, with the first blow, he would smash his thumb, and drop the hammer, with a yell, on somebody's toes [9].

Aunt Maria would mildly observe that, next time Uncle Podger was going to hammer a nail into the wall, she hoped he'd [10] let her know in time [11], so that she could make arrangements to go and spend a week with her mother while it was being done [12].

"Oh! you women, you make such a fuss [13] over everything", Uncle Podger would reply, picking himself up. "Why, I *like* doing a little job of this sort."

---

1. il y a nécessité en anglais d'accorder le complément avec le sujet alors qu'on garde le singulier en français.
2. **to sneer at sbd :** *se moquer de qqn d'un air méprisant.*
3. **row** [rɑu] **:** *dispute, querelle.* À ne pas confondre avec **row** [rəu] : *rang, rangée.*
4. dans un style littéraire et pour insister sur le mouvement, on peut placer l'adverbe en début de proposition et avant le verbe (ici **slide down**).
5. **to slide, slid, slid :** *glisser, faire glisser.*
6. **on** indique le lieu et **to** la direction.
7. ⚠ à la prononciation de **aunt** [ɑːnt].
8. les enfants sont debout autour de lui **(stand round)**.
9. ⚠ à la prononciation de **toes** [təuz].

Et nous tentions tous de faire le calcul dans nos têtes et nous arrivions tous à des résultats différents et nous moquions les uns des autres. Et dans la dispute générale, on oubliait le nombre trouvé et Oncle Podger était forcé de reprendre, encore une fois, ses mesures.

Cette fois-ci il se servait d'un bout de ficelle et, au moment critique où ce vieux nigaud, debout sur sa chaise, se penchait de quarante-cinq degrés pour essayer d'atteindre un point situé dix centimètres au-delà de ce qu'il lui était possible d'atteindre, la ficelle glissait et, lui, dégringolait sur le piano, produisant un effet musical tout à fait remarquable par la manière fulgurante dont sa tête et son corps frappaient toutes les touches en même temps.

Et tante Maria disait qu'elle ne souffrirait pas que ses enfants restent à écouter un tel langage.

Finalement l'oncle Podger parvenait à localiser de nouveau l'endroit et il y apposait la pointe du clou avec la main gauche et prenait le marteau de la main droite. Et du premier coup, il s'écrasait le pouce et, avec un hurlement, laissait tomber le marteau sur les orteils de quelqu'un.

La tante Maria faisait observer avec douceur que la prochaine fois qu'Oncle Podger voudrait planter un clou dans le mur, elle espérait qu'il l'avertirait à temps, de façon qu'elle puisse prendre ses dispositions pour aller passer une semaine chez sa mère en attendant que ce fût terminé.

« Oh ! Vous les femmes, vous faites toujours des histoires à propos de rien », répondait l'oncle Podger, en se relevant. « Que veux-tu, ça m'amuse de faire un petit travail de ce genre. »

---

10. = **would.** Il s'agit ici d'un futur dans le passé. **She hopes he will let her know → she hoped he would let her know.**
11. **in time :** *à temps.*
12. remarquez ce passif au **simple past** et à la forme en **-ing.**
13. **to make a fuss about/over sth :** *faire des histoires pour qqch.*

And then he would have another try[1], and, at the second blow[2], the nail would go clean[3] through the plaster, and half the hammer after it, and Uncle Podger be precipitated[4] against the wall with force nearly sufficient to flatten his nose.

Then we had to find the rule and the string again, and a new hole was made; and, about midnight, the picture would be up[5] – very crooked[6] and insecure[7], the wall for yards round looking as if it had been smoothed down with a rake, and everybody dead beat[8] and wretched – except Uncle Podger.

"There you are", he would say, stepping heavily off[9] the chair on to the charwoman's corns, and surveying[10] the mess he had made with evident pride. "Why[11], some people would have had a man in to do a little thing like that!"

---

1. **try** : *essai, tentative.*
2. **blow** : s'utilise dans la langue littéraire dans le sens général de *coup* et dans la langue courante a la signification plus restreinte de *coup de poing.*
3. **clean** est ici adverbe et a le sens de *entièrement, complètement, tout à fait.*
4. sous-entendu **would be precipitated.**
5. **up** a ici le sens d'*installé, accroché, posé.*
6. **crooked** : *de travers ; courbé, crochu.*
7. **insecure** : *peu solide, qui tient mal, mal attaché.*
8. **dead beat** (fam.) : *éreinté, claqué, crevé.*
9. **to step off** = to le.ve, to get off : *quitter, descendre ;* cf. he stepped off the train.
10. **to survey** : *examiner, étudier.*
11. **why** est ici un exclamatif : *eh bien ! tiens !*

Et ensuite, il faisait un nouvel essai et au second coup, le clou passait complètement à travers le plâtre et la moitié du marteau avec, et Oncle Podger était projeté sur le mur avec tant de violence qu'il manquait de s'aplatir le nez.

Puis il fallait à nouveau retrouver le mètre et la ficelle et mon oncle faisait un nouveau trou ; et vers minuit le tableau était accroché — tout de travers et prêt à tomber. Tout autour, sur plusieurs mètres, le mur semblait avoir été passé au rateau et tout le monde était complètement épuisé et démoralisé — à l'exception de l'oncle Podger.

« Eh bien, ça y est ! » disait-il en descendant lourdement de la chaise, en écrasant les cors de la femme de ménage et en examinant avec une fierté évidente les dégâts qu'il avait faits. « Quand je pense que des gens auraient fait venir un ouvrier pour faire une broutille comme ça ! »

Extrait n° 3 (chapitre 4)

Le narrateur nous dit que Harris, en vieillissant, deviendra comme l'oncle Podger. La liste des objets à emporter étant trop longue pour un petit bateau, il faut la refaire pour ne prendre que ce qui est indispensable. Cela donne l'occasion de filer une métaphore sur « l'esquif de la vie, qu'il ne faut point encombrer de choses inutiles ». George donne l'exemple en proposant de prendre un bateau avec bâche, qui rend la tente superflue. Bien que le narrateur ne partage pas leur avis, George et Harris emportent trois serviettes pour le bain. En dépit de sa totale ignorance en la matière, Harris persuade ses amis que deux complets de flanelle suffiront à chacun et qu'ils les laveront dans le fleuve au fil du voyage. Ils prennent un réchaud à alcool et non au pétrole pour éviter les odeurs entêtantes s'il se renverse, comme cela leur est arrivé une fois.

I remember a friend of mine buying a couple of chee-ses at Liverpool. Splendid [1] cheeses they were, ripe and mellow [2], and with a two hundred horse-power scent about them that might have been warranted to carry three miles, and knock a man over at two hundred yards. I was in Liverpool at the time, and my friend said that if I didn't mind he would get me to take them back with me to Lon-don, as he should not be coming up for a day or two him-self, and he did not think the cheeses ought to be kept much longer.

"Oh, with pleasure, dear boy", I replied, "with plea-sure."

I called for the cheeses, and took them away in a cab. It was a ramshackle [3] affair, dragged along by a knock-kneed [4], broken-winded [5] somnambulist, which his owner, in a moment of enthusiasm [6], during conversation, referred to as a horse. I put the cheeses on the top, and we started off [7] at a shamble [8] that would have done cre-dit [9] to the swiftest steam-roller ever built, and all went merry as a funeral bell, until we turned a corner. There, the wind carried a whiff from the cheeses full on our steed [10]. It woke him up, and, with a snort of terror, he dashed off at three miles an hour. The wind still blew in his direction, and before we reached the end of the street he was laying himself out at the rate of nearly four miles an hour, leaving the cripples and stout old ladies simply nowhere.

---

1. notez l'inversion qui permet de mettre en valeur l'adjectif et d'insister ainsi sur l'aspect appétissant de ces fromages.
2. s'utilise aussi pour un fruit *(fondant)*, de la terre *(meuble)* ou même une personne *(mûrie par l'expérience)* ; **to mellow** : *mûrir, prendre du moelleux.*
3. **ramshackle** ['ræmʃækl] : *délabré, branlant, déglingué.*
4. = **knees that knock against each other** *(des genoux qui se cognent).* **To be knock-kneed** = **to have knock-knees** *(avoir des genoux cagneux).*
5. **wind** a ici le sens de *souffle* ; cf. **to be out of wind** : *être essouf-flé, hors d'haleine.*

Je me souviens qu'un de mes amis avait acheté deux fromages à Liverpool. De superbes fromages en vérité, moelleux et bien faits, exhalant avec la puissance de deux cents chevaux-vapeur une senteur dont on aurait pu garantir qu'elle portait jusqu'à quatre kilomètres et pouvait abattre son homme à deux cents mètres. Je me trouvais à Liverpool à l'époque et mon ami me demanda si cela ne me dérangeait pas de les remporter à Londres, car il ne rentrerait lui-même qu'un ou deux jours plus tard, et il ne pensait pas que les fromages dussent se garder beaucoup plus longtemps.

« Oh, avec plaisir, cher ami, avec plaisir, lui répondis-je.

Je passai prendre les fromages et les emportai en fiacre. Ce fiacre était une vieille guimbarde traînée par une rosse somnambule, cagneuse et poussive, que son propriétaire, dans le feu de la conversation, avait qualifiée de cheval. Je mis les fromages sur l'impériale et nous partîmes cahin-caha, à une allure dont eût pu s'enorgueillir le plus rapide des rouleaux compresseurs jamais construits et tout alla aussi gaiement qu'un glas d'enterrement. Jusqu'à ce que nous tournions le coin. Le vent poussa alors les effluves des fromages en plein sur notre coursier. Cela le réveilla et, avec un hennissement d'effroi, il s'élança à cinq kilomètres à l'heure. Le vent soufflait toujours dans sa direction et avant d'arriver au bout de la rue, il donnait le meilleur de lui-même en atteignant presque les sept kilomètres à l'heure et en laissant pratiquement sur place les infirmes et les vieilles dames un peu fortes.

---

6. m. à m. *dans un instant d'enthousiasme.*
7. **off** insiste sur le changement d'état et donc sur l'idée même de début, de départ.
8. *d'un pas traînant ;* to shamble : *marcher en traînant les pieds.*
9. **to do credit to :** *faire honneur à ;* to his credit : *à son honneur.*
10. **steed** est un mot très littéraire qui est bien sûr utilisé ici de façon ironique.

It took two porters as well as the driver to hold him in [1] at the station; and I do not think they would have done it, even then, had [2] not one of the men had the presence of mind to put a handkerchief over his nose, and to light a bit of brown paper [3].

I took my ticket, and marched [4] proudly up the platform, with my cheeses, the people falling back [5] respectfully on either side [6]. The train was crowded, and I had to get into a carriage [7] where there were already seven other people. One crusty [8] old gentleman objected, but I got in, notwithstanding; and, putting my cheeses upon the rack, squeezed [9] down with a pleasant smile, and said it was a warm day. A few moments passed, and then the old gentleman began to fidget [10].

"Very close in here", he said.

"Quite oppressive", said the man next to him.

And then they both began sniffing, and, at the third sniff, they caught it right on the chest [11], and rose up without another word and went out. And then a stout lady got up, and said it was disgraceful that a respectable married woman [12] should be harried [13] about in this way, and gathered up a bag and eight parcels and went. The remaining four passengers sat on for a while, until a solemn-looking man in the corner who, from [14] his dress and general appearance, seemed to belong to the undertaker class [15], said it put him in mind of [16] a dead baby;

---

1. **to hold in** : *retenir* ; cf. **to hold oneself in** : *se contenir ;* **hold your stomach in** ! : *rentre ton ventre !*
2. = **if one of the men had not had.** Forme littéraire pour exprimer l'hypothèse (l'absence de if entraînant l'inversion de l'auxiliaire et du sujet).
3. papier gris qui dégage un parfum en se consumant et couvre ainsi les mauvaises odeurs.
4. **to march** : *marcher au pas* (militaire), *marcher d'un pas énergique*.
5. **to fall back** : *reculer, se retirer*.
6. m. à m. *de côté ou d'autre*. Les gens qui s'écartent se trouvent tantôt à sa droite, tantôt à sa gauche.
7. **a carriage** : *un wagon* (de voyageurs). Ce sont des voitures dans lesquelles il n'y a pas de couloir et qui ne sont pas reliées par des soufflets.

A l'arrivée à la gare, il fallut deux porteurs en plus du cocher pour le maîtriser. Et je crois qu'ils n'y seraient même pas alors parvenus si l'un des hommes n'avait eu la présence d'esprit de lui mettre un mouchoir sur les naseaux et de brûler un morceau de papier d'Arménie.

Je pris mon billet et me dirigeai d'un pas martial vers le quai, avec mes fromages, tandis que les gens s'écartaient respectueusement sur mon passage. Le train était bondé et je devais me rendre dans un compartiment où il y avait déjà sept autres personnes. Un vieux monsieur grincheux protesta, mais je montai quand même, et, déposant mes fromages dans le filet, me trouvai une petite place avec un sourire avenant, en disant que la journée était chaude. Quelques minutes se passèrent et alors le vieux commença à donner des signes d'impatience.

« Il n'y a pas d'air ici », dit-il.

« Vraiment étouffant », reprit son voisin.

Alors ils se mirent tous deux à renifler, et, au troisième reniflement ils se mirent à suffoquer, se levèrent sans dire un mot et sortirent. Puis une grosse dame se leva et déclara que c'était une honte de harceler de cette manière une honnête mère de famille ; elle rassembla un sac et huit paquets et sortit. Les quatre voyageurs restants tinrent bon un moment, mais à la fin, un homme, à l'air grave, assis dans le coin, et qui, d'après son costume et son aspect général, semblait appartenir à la corporation des pompes funèbres, dit que cela lui faisait penser à un petit enfant mort ;

---

8. **crusty :** *hargneux, bourru* ; au sens propre, *croustillant.*
9. **to squeeze :** *se glisser, s'entasser* ; **down** indique qu'il s'assied (en se faisant difficilement une place).
10. **to fidget :** *remuer, gigoter* ; **fidgety :** *remuant, agité.*
11. m. à m. *le prirent en pleine poitrine.*
12. m. à m. *une femme mariée respectable.*
13. **to harry :** *harceler, tourmenter.*
14. **from** indique la cause : *d'après, à cause de* ; cf. **from what I can see :** *à ce que je vois.*
15. m. à m. *catégorie des entrepreneurs de pompes funèbres.*
16. **to put sbd in mind of sbd :** *rappeler qqn à qqn, faire penser qqn à qqn.*

and the other three passengers tried to get out of the door at the same time, and hurt themselves.

I smiled at the black gentleman, and said I thought we were going to have the carriage to ourselves; and he laughed pleasantly and said that some people made such a fuss over a little thing. But even [1] he grew [2] strangely depressed after we had started, and so, when we reached Crewe [3], I asked him to come and have a drink. He accepted, and we forced our way [4] into the buffet, where we yelled, and stamped, and waved our umbrellas for a quarter of an hour; and then a young lady came and asked us if we wanted anything [5].

"What's yours?" I said, turning to my friend.

"I'll have half-a-crown [6]'s worth of brandy, neat, if you please, miss", he responded [7].

And he went off quietly after he had drunk it and got into another carriage, which I thought mean [8].

From Crewe I had the compartment to myself, though the train was crowded. As we drew up [9] at the different stations, the people, seeing my empty carriage, would [10] rush for it. "Here y'are, Maria; come along, plenty of room." "All right, Tom; we'll get in here", they would shout. And they would run along, carrying heavy bags, and fight round the door to get in first. And one would open the door and mount the steps and stagger back [11] into the arms of the man behind him;

---

1. **even** : *même* ; cf. **even thou, Brutus !** : *et toi aussi, Brutus !*
2. **to grow** : *devenir* indique le processus ; cf. **to grow old** : *vieillir ; **to grow alarmed** : *s'alarmer*, etc.
3. **Crewe** : ville industrielle du Cheshire, entre Stoke-on-Trent et Chester.
4. **to force one's way** : *se frayer, s'ouvrir un chemin de force* ; **to force one's way into...** : *entrer, pénétrer de force dans...*
5. **anything** est rendu nécessaire par **if**, pour laisser, dans le discours indirect, les possibilités ouvertes, comme dans la phrase interrogative **do you want anything ?**
6. **half-a-crown** : *demi-couronne*. Pièce qui avait la valeur de deux shillings et six pence et qui a eu cours jusqu'en 1970.

sur quoi, les autres passagers essayèrent de sortir tous en même temps et se firent mal.

Je souris au monsieur en noir et dit que je pensai que nous allions avoir le compartiment à nous seuls. Il eut un rire aimable et déclara que certaines personnes faisaient des histoires pour un rien. Mais lui-même, c'est étrange, fut en cours de route de plus en plus abattu ; aussi, en arrivant à Crewe, l'invitai-je à venir prendre un verre. Il accepta et nous gagnâmes le buffet où nous passâmes un quart d'heure à hurler, à trépigner et à agiter nos parapluies. A la fin, une jeune personne arriva et nous demanda si nous désirions quelque chose.

« Qu'est-ce que vous prenez ? » dis-je, en me tournant vers mon ami.

« Je prendrai une triple dose de cognac, sec, s'il vous plaît mademoiselle », répondit-il.

Après l'avoir bu, il s'en alla et monta dans une autre voiture, ce que je trouvai très indélicat.

A partir de Crewe, bien que le train fût bondé, j'eus le compartiment à moi seul. Aux arrêts dans les différentes gares, les gens, à la vue de mon compartiment vide, s'y précipitaient. « Ça y est, Maria ; viens là, c'est vide ! » « C'est parfait, Tom ; on monte ici », criaient-ils. Et tous accouraient, chargés de lourdes valises, et se bousculaient devant la portière pour monter les premiers. Quelqu'un ouvrait la portière, escaladait le marchepied et, tout chancelant, retombait dans les bras de celui qui le suivait ;

---

7. **to respond** : *répondre, faire une réponse* ; s'utilise surtout au sens figuré *(être sensible à)* ; cf. **to respond to music**.
8. **mean** (adj.) **:** *mesquin, méprisable, vil.*
9. **to draw up** : *s'arrêter, stopper* ; **to draw up along the kerb** : *se ranger le long du trottoir.*
10. **would** a ici le sens de « ce qui se passait inévitablement ».
11. **to stagger** : *chanceler, tituber* → **to stagger back** : *reculer en chancelant.*

and they would all come and have a sniff, and then drop off[1] and squeeze into other carriages, or pay the difference and go first.

From Euston[2] I took the cheeses down to my friend's house. When his wife came into the room, she smelt round for an instant. Then she said:

"What is it? Tell me the worst[3]."

I said:

"It's cheeses. Tom bought them in Liverpool, and asked me to bring them up[4] with me."

And I added that I hoped she understood that it had nothing to do with me[5]; and she said that she was sure of that, but that she would speak to Tom about it when he came back.

My friend was detained[6] in Liverpool longer than he expected; and three days later, as he hadn't returned home, his wife called on me[7]. She said:

"What did Tom say about those cheeses?"

I replied that he had directed[8] they were to[9] be kept in a moist place, and that nobody was to touch them.

She said:

"Nobody's likely[10] to touch them. Had he smelt them?"

I thought he had, and added that he seemed greatly attached to them.

---

1. **to drop off** (fam.) peut être transitif = **to alight** (descendre) ou intransitif = **to set down** (déposer).

2. **Euston** : gare de Londres, où l'auteur travailla comme employé de bureau pour la North-Western Railway Company (cf. note 16, p. 27).

3. m. à m. dites-moi le pire.

4. **bring up** n'a pas du tout ici le sens d'élever (des enfants), mais celui d'amener, apporter. **Up** donne l'idée d'accomplissement (jusqu'au bout).

5. m. à m. cela n'avait rien à voir avec moi.

6. **to detain** : retenir, retarder, empêcher (qqn) de partir. cf. **ship detained by ice** : navire retenu par les glaces.

7. **to call on sbd** : rendre visite à qqn, passer chez qqn.

8. **to direct sbd to do sth** : ordonner à qqn de faire qqch, charger qqn de faire qqch → **as directed** : selon les instructions.

ils venaient tous et après avoir reniflé l'odeur, descendaient et allaient s'entasser dans les autres compartiments ou payer un supplément pour monter en première.

De la gare de Euston, je portai les fromages chez mon ami. En entrant dans la pièce, sa femme huma l'air un instant à la ronde. Puis elle m'interrogea :

« Qu'est-ce que c'est ? Ne me cachez pas la vérité ! »

Je lui répliquai :

« Ce sont des fromages. Tom les a achetés à Liverpool et m'a demandé de les rapporter ici. »

Et j'ajoutai que j'espérais qu'elle comprenait que je n'y étais pour rien. Elle me répondit qu'elle en était convaincue, mais qu'elle en dirait deux mots à Tom quand il reviendrait.

Mon ami fut retenu à Liverpool plus longtemps qu'il ne l'avait cru, et trois jours plus tard, comme il n'était pas encore rentré, sa femme vint me rendre visite. Elle me demanda :

« Qu'est-ce que Tom vous a dit à propos de ces fromages ? »

Je répondis qu'il avait donné comme instruction de les garder dans un lieu humide et que personne ne devait les toucher.

Elle dit :

« C'est sûr que personne ne les touchera. Les avait-il sentis ? »

Il me semblait bien et j'ajoutai qu'il paraissait tenir beaucoup à ces fromages.

---

9. **to be to** est une structure utilisée pour donner des ordres ; ex. : **you are not to be back late** *(tu ne dois pas rentrer tard)*, **this yoghurt is to be eaten before June 15 th** *(ce yaourt est à consommer avant le 15 juin)*.
10. **likely :** *probable ;* **to be likely to** indique un futur probable ; cf. **it is likely to rain** *(il y a des chances pour qu'il pleuve)*, **he is not likely to come** *(il est peu probable qu'il vienne)*.

"You think he would be upset," she queried, "if I gave a man a sovereign[1] to take them away and bury them?"

I answered that I thought he would never smile again. An idea struck her. She said:

"Do you mind[2] keeping them for him? Let me send[3] them round[4] to you."

"Madam," I replied, "for myself I like the smell of cheese, and the journey the other day with them from Liverpool I shall ever look back upon[5] as a happy ending to a pleasant holiday. But, in this world, we must consider others. The lady under whose roof[6] I have the honour of residing is a widow, and, for all I know[7], possibly an orphan too. She has a strong, I may say an eloquent[8], objection to being what she terms[9] "put upon"[10]. The presence of your husband's cheese in her house she would, I instinctively feel[11], regard as a "put upon"; and it shall[12] never be said that I put upon the widow and the orphan."

"Very well, then," said my friend's wife, rising, "all I have to say is, that I shall take the children and go to a hotel until those cheeses are eaten. I decline to live any longer in the same house with them[13]."

She kept her word, leaving the place in charge of the charwoman, who, when asked if she could stand the smell, replied:

« Pensez-vous qu'il serait très contrarié, interrogea-t-elle, si je donnais vingt shillings à un homme pour qu'il les emporte pour les enfouir au loin ? »

Je répondis qu'à mon avis, on ne le verrait plus jamais sourire.

Une idée lui vint. Elle dit :

« Est-ce que cela ne vous dérange pas de les lui garder ? Je les ferai porter chez vous. »

« Madame, répliquai-je, quant à moi j'aime l'odeur du fromage et le voyage de Liverpool que j'ai fait l'autre jour en leur compagnie restera gravé dans ma mémoire comme la fin heureuse d'agréables vacances. Mais, dans ce monde, il faut tenir compte des autres. La dame sous le toit de laquelle j'ai l'honneur de résider est veuve, et il se pourrait même qu'elle soit également orpheline. Elle a une sainte, je dirais même une péremptoire horreur de se faire, comme elle le dit, ''rouler''. La présence du fromage de votre mari dans sa maison lui ferait, j'en suis convaincu, l'effet qu'on la ''roule'' et jamais on ne dira que je roule la veuve et l'orpheline. »

« Très bien, reprit la femme de mon ami, en se levant, dans ce cas, tout ce qui me reste à faire c'est d'emmener les enfants et d'aller à l'hôtel jusqu'à ce que ces fromages soient mangés. Je refuse de partager mon logis plus longtemps.avec eux. »

Elle tint parole, laissant la maison à la garde de la femme de ménage qui, quand on lui demanda si elle pouvait supporter l'odeur, répondit :

---

7. **for all I know** = as far as I know : *autant que je sache.*
8. **eloquent :** *éloquent ;* cf. **an eloquent look :** *un regard qui en dit long.*
9. **to term :** *appeler, désigner, nommer.*
10. **to put on/upon** (fam.) **:** *prendre une attitude pour impressionner* ou *tromper ;* **to put on sbd** (fam.) : *rouler qqn.*
11. *je le sais instinctivement.*
12. l'utilisation de **shall** à la 2ᵉ et 3ᵉ personne quand le locuteur veut exprimer une vive émotion est aujourd'hui désuète. Dans un style volontairement pompeux, elle marque ici l'ironie.
13. m. à m. *vivre plus longtemps dans la même maison qu'eux.*

"What smell?" and who, when taken close [1] to the cheese and told [2] to sniff hard, said she could detect [3] a faint odour of melons. It was argued [4] from this that little injury could result to the woman from the atmosphere, and she was left.

The hotel bill came to fifteen guineas [5]; and my friend after reckoning everything up [6], found that the cheeses had cost him eight-and-sixpence a pound. He said he dearly [7] loved a bit of cheese [8], but it was beyond his means; so he determined to get rid of them. He threw them into the canal [9]; but had to fish them out again, as the bargemen [10] complained. They said it made them feel quite faint [11]. And, after that, he took them one dark night and left them in the parish mortuary [12]. But the coroner [13] discovered them, and made a fearful fuss.

He said it was a plot to deprive him of his living by waking up the corpses [14].

My friend got rid of them, at last, by taking them down to a seaside town, and burying them on the beach. It gained the place quite a reputation. Visitors said they had never noticed before how strong the air was, and weak-chested and consumptive [15] people used to throng there for years afterwards.

Fond as I am of cheese [16], therefore, I hold that George was right in declining to take any.

"We shan't want any tea," said George (Harris's face fell at this);

---

1. m. à m. *amenée près de*.
2. sous-entendu **she was told** *(on lui a dit)*.
3. **to detect :** *découvrir, surprendre, discerner*.
4. **to argue from sth :** *tirer argument de qqch*.
5. **a guinea :** *une guinée*. Pièce d'or frappée jusqu'en 1813 et d'une valeur de 21 shillings. Terme utilisé ensuite pour désigner cette somme, en général, comme unité pour des objets de luxe.
6. **to reckon up :** *compter, calculer, additionner*.
7. **dearly** *(chèrement)* s'applique, de façon ironique, à la fois à l'affection qu'il a pour les fromages et à leur prix de revient élevé.
8. m. à m. *un morceau de fromage*.
9. △ à la prononciation de **canal** [kə'næl].
10. **a barge :** *un chaland, une péniche*.
11. **to feel faint :** *se sentir mal, avoir un malaise ;* **faint** est ici adj.

« Quelle odeur ? » et qui, quand on lui eut mis le nez sur le fromage en lui disant de renifler fort, dit qu'elle percevait un léger parfum de melon. On en conclut qu'il ne résulterait pas grand mal pour elle de vivre dans cette atmosphère et on l'y laissa.

La note de l'hôtel s'éleva à quinze guinées et mon ami, après avoir tout calculé, constata que les fromages lui étaient revenus à huit shillings et six pence la livre. Il ajouta qu'il adorait en effet le fromage mais que cela était au-dessus de ses moyens ; aussi décida-t-il de s'en débarrasser. Il les jeta dans le canal mais dut les repêcher suite aux plaintes des bateliers. Ils disaient que cela leur provoquait quasiment des faiblesses. Et, après cela, il les porta, par une nuit noire, dans le cimetière paroissial où il les y abandonna. Mais le fossoyeur les découvrit et en fit toute une histoire.

Il déclara que c'était un complot pour l'empêcher de gagner sa vie, en réveillant les morts.

Mon ami s'en débarrassa, finalement, en les emportant dans une ville de bord de mer où il les enterra sur la plage. Cela donna à l'endroit une certaine célébrité. Les visiteurs disaient qu'ils n'avaient jamais remarqué combien l'air était vif, et les poitrinaires et les phtisiques y vinrent en masse pendant des années.

Tout friand de fromage que j'étais, j'estimai, en conséquence, que George avait raison de refuser d'en emporter.

« Nous ne prendrons pas le thé à cinq heures », dit George (la figure de Harris s'allongea en entendant cela) ;

---

mais il peut être nom *(évanouissement)* ou verbe *(s'évanouir, défaillir)*.

12. **a mortuary :** *une morgue, une salle mortuaire.*

13. **a coroner :** *un coroner* (officier civil chargé d'enquêter en cas de mort violente ou subite).

14. **a corpse :** *un cadavre.*

15. **consumptive :** *phtisique, tuberculeux ;* **(pulmonary) consumption** : *phtisie, consomption pulmonaire.*

16. **fond as I am of cheese** *(tout amateur... que je sois)* = **however fond of cheese I may be.** Cette construction indique une concession ; cf. **as delightful as London is...** : *si agréable que soit Londres...*

"but we'll have a good round [1], square [2], slap-up [3] meal at seven — dinner, tea, and supper combined."

Harris grew more cheerful [4]. George suggested meat and fruit [5] pies [6], cold meat, tomatoes, fruit, and green stuff [7]. For drink, we took some [8] wonderful sticky concoction [9] of Harris's, which you mixed with water and called lemonade, plenty of tea, and a bottle of whisky, in case, as George said, we got upset [10].

It seemed to me that George harped [11] too much on the getting-upset idea. It seemed to me the wrong spirit to go about the trip in.

But I'm glad we took the whisky.

We didn't take beer or wine. They are a mistake up the river. They make you feel sleepy and heavy. A glass in the evening when you are doing a mooch [12] round the town and looking at the girls is all right enough; but don't drink when the sun is blazing down [13] on your head, and you've got hard work to do.

We made a list of the things to be taken, and a pretty lengthy one it was before we parted [14] that evening. The next day, which was Friday, we got them all together, and met in the evening to pack [15]. We got a big Gladstone [16] for the clothes, and a couple of hampers [17] for the victuals [18] and the cooking utensils.

---

1. **round** (adj.) a ici le sens de *simple* (plain, simple).
2. **square** (adj.) a pour un repas le sens de *complet, substantiel, solide*.
3. **slap-up** : *excellent, de premier ordre, de qualité indiscutable*.
4. **cheerful** : *gai, de bonne humeur, serein*.
5. **fruit** peut s'utiliser comme collectif ; ex. **dried fruit** : *fruits secs* ou au pluriel si l'on distingue les variétés ou chacun des fruits.
6. = fruit pies and meat pies.
7. **green stuff** : *verdure* ; **greens** : *légumes verts* ; **greengrocer** : *marchand de fruits et légumes*.
8. **some** [sʌm] (forme pleine) s'utilise avec des noms comptables singuliers dans le sens de *un certain* (inconnu). Il indique souvent un manque d'intérêt ou même un certain mépris (ce qui est le cas ici).
9. **concoction** : *potion, mixture* peut aussi s'utiliser au sens figuré ; cf. **a concoction of lies** : *un tissu de mensonges*.

mais nous ferons un bon petit repas consistant à sept heures, qui comptera à la fois pour le dîner, le thé et le souper. »

Cela rasséréna Harris. George proposa des tourtes à la viande et aux fruits, de la viande froide, des tomates, des fruits et de la verdure. Comme boisson, nous prîmes de cette merveilleuse mixture sirupeuse, de la fabrication de Harris, qu'on mélangeait avec de l'eau et qu'on appelait alors limonade, du thé en abondance et une bouteille de whisky au cas où, comme le disait George, nous chavirerions.

Il me semblait que George insistait trop sur cette idée de chavirer. Cette disposition d'esprit me paraissait fâcheuse au début d'une croisière.

Mais je suis content que nous ayons emporté le whisky.

Nous ne prîmes ni bière ni vin. C'est une erreur que de les emporter sur une rivière. Ils vous rendent lourd et somnolent. Un verre dans la soirée, quand on fait une tournée en ville et qu'on regarde les filles, cela va bien ; mais gardez-vous d'en boire quand le soleil vous tape sur le crâne et que vous devez fournir un rude effort.

Nous fîmes une liste des choses à emporter et elle était joliment longue lorsque nous nous séparâmes ce soir-là. Le lendemain qui était un vendredi, nous rassemblâmes le tout et nous retrouvâmes le soir pour tout emballer. Nous prîmes un grand sac de voyage pour les vêtements et deux paniers pour les victuailles et les ustensiles de cuisine.

---

10. **to upset, upset, upset** peut être transitif *(renverser, faire chavirer)* ou intransitif *(renverser, chavirer)*.

11. **to harp** : *jouer de la harpe* ; **to harp on the same string/note** : *rabâcher toujours la même chose, chanter toujours la même antienne*.

12. **mooch** (très fam.) : *flânerie* ; **to be on the mooch = to mooch about** : *traîner, baguenauder*.

13. **to blaze down** : *darder, déverser ses rayons* (**on**, *sur*).

14. **to part** : *se quitter*.

15. **to pack** : *emballer, empaqueter, faire les bagages*.

16. William Gladstone (1809-1898), chef du parti libéral britannique et Premier ministre à trois reprises (1868-1874 ; 1880-1885 et 1892-1894) a donné son nom à un type de sac de voyage léger utilisé au XIXe siècle.

17. **hamper** : grand *panier* avec un couvercle, petite *malle* en osier.

18. ⚠ à la prononciation de **victuals** ['vitlz].

We moved the table up against[1] the window, piled everything in a heap in the middle of the floor, and sat round and looked at it.

I said I'd pack.

I rather[2] pride myself[3] on my packing. Packing is one of those many things that I feel I know more about than any other person living. (It surprises me myself, sometimes, how many of these subjects there are.)

I impressed[4] the fact upon George and Harris and told them that they had better leave the whole matter entirely to me. They fell into the suggestion with a readiness that had something uncanny[5] about it. George put on[6] a pipe and spread himself over the easy-chair[7], and Harris cocked[8] his legs on the table and lit a cigar.

This was hardly what I intended. What I had meant, of course, was that I should boss[9] the job, and that Harris and George should potter about under my directions, I pushing them aside every now and then with, "Oh, you –!" "Here, let me do it." "There you are, simple enough!" – really teaching them, as you might say[10]. Their taking it in the way they did irritated me. There is nothing[11] does irritate me more than seeing other people sitting about doing nothing when I'm working.

I lived with a man once who used[12] to make me mad that way.

---

1. **up against** : appuyé contre.
2. **rather** est ici synonyme de **somewhat** (quelque peu).
3. m. à m. je me flatte quelque peu de...
4. **to impress sth upon sbd** : inculquer (une idée) à qqn, faire bien comprendre qqch à qqn.
5. **uncanny** : mystérieux, troublant, inquiétant.
6. **to put on** a ici le sens de **to light** ; cf. **to put on the light** : allumer la lumière.
7. **an easy-chair** : chaise rembourrée et avec des accoudoirs, où l'on se sent « à l'aise ».
8. **to cock** : dresser, lever ; cf. **to cock one's ears** : dresser l'oreille.
9. **to boss** : mener, diriger, régenter ; cf. **a boss** : un patron, un chef.
10. m. à m. comme on pourrait dire.

On repoussa la table contre la fenêtre, l'on mit tout en tas au milieu de la pièce et l'on s'assit en cercle tout autour pour aviser.

J'annonçai que j'allais faire les bagages.

Je tire une certaine fierté de mon art de faire les bagages. L'empaquetage est une de ces nombreuses choses où je sens que je m'y connais mieux que personne au monde. (Je m'étonne parfois moi-même du nombre de ces choses.)

Je fis bien comprendre cela à George et à Harris et leur dis qu'ils avaient intérêt à me laisser l'entière responsabilité de m'en occuper. Ils se rallièrent à ma proposition avec une promptitude qui était quelque peu inquiétante. George alluma une pipe et se vautra sur un bon fauteuil et Harris étala les jambes sur la table et alluma un cigare.

Ce n'était pas vraiment ce que j'attendais. Ce que j'avais voulu dire, bien entendu, c'est que moi je dirigerais les opérations et qu'Harris et George s'activeraient sous mes ordres tandis que je les stimulerais de temps à autre avec des « Ah, toi, espèce de... », « Allez, laisse-moi faire ! » ou « Voilà, c'est pas compliqué », histoire de leur faire la leçon, à vrai dire. La façon dont ils l'interprétèrent m'irrita. Il n'y a rien qui ne m'irrite plus que de voir des gens ne rien faire quand je travaille.

J'habitais autrefois avec un type qui me mettait à bout de cette façon.

---

11. sous-entendu « **nothing *that* does irritate me** ». L'utilisation de l'auxiliaire **do** dans une phrase affirmative marque l'insistance.
12. **used to** suivi d'un infinitif sert à indiquer un état ou une habitude dans le passé qui n'existent plus dans le présent.

He would loll [1] on the sofa and watch me doing things by [2] the hour together [3], following me round the room with his eyes, wherever [4] I went. He said it did him real [5] good to look on at me messing about [6]. He said it made him feel that life was not an idle dream to be gaped and yawned through, but a noble task, full of duty and stern work. He said he often wondered now how he could have gone on before he met me, never having anybody to look at while they [7] worked.

Now, I'm not like that. I can't sit still and see another man slaving and working. I want [8] to get up and superintend, and walk round with my hands in my pockets, and tell him what to do. It is my energetic nature. I can't help it.

---

1. **to loll** : *se prélasser*.
2. **by** a ici le sens de **during** ; cf. **by day** : *le jour* ; **by night** : *la nuit*.
3. **together** = **continuously** : *d'affilée* ; cf. **for days together** : *pendant des jours entiers*.
4. **wherever** = **no matter where** : *où que...*
5. **real** peut familièrement être adverbe et avoir le sens de **really**.
6. **to mess about** : *bricoler, tripoter ; patauger*.
7. **they** reprend **anybody**.
8. **want** a ici le sens fort de *avoir besoin, devoir*.

Il avait l'habitude de se prélasser sur le divan et pouvait passer des heures à me regarder au travail, à me suivre des yeux dans la pièce, partout où j'allais. Il disait que cela lui faisait vraiment du bien de me voir bricoler. Il disait que cela lui donnait l'impression que la vie n'était pas faite de rêveries à travers lesquelles on passait en bâillant mais de tâches nobles accomplies avec le sens du devoir et du travail acharné. Il disait qu'il se demandait souvent comment il avait pu faire avant de me connaître, à l'époque où il n'avait personne à regarder travailler.

Et moi, je ne suis pas comme ça. Il m'est impossible de rester assis à regarder quelqu'un trimer comme un nègre. Je sens le besoin de me lever et de surveiller, de le suivre les mains dans les poches et de lui dire ce qu'il doit faire. Je suis actif de nature. Je n'y peux rien.

Extrait n° 4 (chapitre 5)

Jérome met bien du temps à boucler sa valise qu'il ne cesse de rouvrir pour repêcher un objet oublié. À dix heures du soir, la valise est enfin faite et Harris et George se mettent à remplir les paniers de vaisselle et de victuailles. Ils parviennent au cours des opérations à casser une tasse, écrabouiller une tomate, s'asseoir sur le beurre tandis que Montmorency, qui s'est mis de la partie, prend un malin plaisir à s'installer sur les objets qui doivent être emballés et à importuner ses maîtres. Ils ne se couchent qu'à minuit cinquante et décident de se lever le lendemain à six heures et demie. Mais il est déjà neuf heures quand Mme Poppets les réveille ; Harris et Jérome s'accusent réciproquement de ne pas avoir réveillé l'autre. Ils s'aperçoivent ensuite que George ronfle et continue sa nuit. Ce spectacle les atterre, tant il leur paraît un gaspillage scandaleux des précieux moments de l'existence, et ils se ruent alors sur lui pour le réveiller avec brutalité. Alors que George a besoin de son rasoir, ils refusent d'ouvrir pour lui de nouveau la valise. Puis ils descendent prendre leur déjeuner fait de côtelettes et de rosbif froid.

George got hold of the paper, and read us out [1] the boating fatalities [2], and the weather forecast, which latter [3] prophesied "rain, cold, wet to fine" (whatever more than usually ghastly thing in weather that may be [4]), "occasional local thunderstorms, east wind, with general depression over the Midland Counties (London and Channel). Bar. falling."

I do think [5] that of all the silly, irritating tomfoolishness [6] by which we are plagued [7], this "weather-forecast" fraud [8] is about the most aggravating [9]. It "forecasts" precisely what happened yesterday or the day before, and precisely the opposite of what is going to happen today.

I remember a holiday of mine [10] being completely ruined one late [11] autumn by our paying attention [12] to the weather report of the local newspaper. "Heavy showers, with thunderstorms, may be expected today", it would [13] say on Monday, and so we would give up our picnic, and stop indoors all day, waiting for the rain. And people would pass the house, going off in wagonettes [14] and coaches as jolly and merry as could be, the sun shining out [15], and not a cloud to be seen.

"Ah!" we said, as we stood looking out at them through the window, "won't they come home soaked [16] !"

And we chuckled to think how wet they were going to get, and came back and stirred the fire, and got our books, and arranged our specimens of seaweed and cockleshells [17]. By twelve o'clock with the sun pouring into the room, the heat became quite oppressive, and we wondered when those heavy showers and occasional thunderstorms were going to begin.

---

1. **to read out :** *lire à voix haute* quelque chose que l'on veut que ses auditeurs prennent en considération.

2. **fatalities** = **fatal accidents :** *accidents mortels, noyades.*

3. = **the latter of which. The latter :** *le deuxième, le dernier* (de deux).

4. m. à m. *quoi que cela signifie de plus épouvantable que d'habitude, d'un point de vue météorologique.*

5. *je pense vraiment.*

6. **tomfoolishness** = **tomfoolery :** *niaiseries, âneries ;* **a tomfool :** *un idiot* (peut s'utiliser comme substantif ou adjectif épithète).

7. **to plague :** *tourmenter, harceler, tracasser ;* **the plague :** *la peste.*

8. **fraud :** *supercherie, imposture, tromperie.*

9. **aggravating** = **annoying :** *agaçant, énervant.*

George s'empara du journal pour nous lire les accidents de canotage et le bulletin météorologique. Celui-ci prophétisait : « Pluvieux, froid, humide à beau (qu'est-ce que cela peut-être de plus épouvantable que le temps qu'on a d'habitude ?), localement orageux, vent d'est, avec dépression générale sur les Midlands (Londres et Manche). Baromètre en baisse. »

Je suis convaincu que de toutes les inepties ridicules et horripilantes qui nous rendent la vie impossible, cette histoire de prévisions météorologiques est à peu près ce qu'il y a de plus exaspérant. Cela prévoit exactement ce qui s'est passé hier ou avant-hier et exactement le contraire de ce qui va se passer aujourd'hui.

Cela me rappelle des vacances que j'ai prises une fois à la fin de l'automne et qui ont été entièrement gâchées parce que nous avons fait attention au bulletin météorologique de la gazette locale. « On peut s'attendre aujourd'hui à de fortes ondées avec orages locaux », disait-elle le lundi. C'est pourquoi nous renoncions à notre pique-nique et restions enfermés toute la journée à attendre la pluie. Les excursionnistes passaient devant la maison, en break ou en diligence, animés et enjoués au possible, sous un soleil radieux et un ciel sans nuage.

« Ah ! » disions-nous en les regardant par la fenêtre, « ce qu'ils vont revenir trempés ! »

Et de nous gausser en pensant à l'averse qu'ils allaient recevoir. Nous retournions tisonner le feu, nous mettre à lire et ranger nos specimens d'algues et de coquillages. Vers midi, avec le soleil qui inondait la pièce, la chaleur devenait étouffante et nous nous demandions quand ces fortes averses et orages locaux allaient commencer.

---

10. = **one of my holidays.**
11. **late :** *tardif, à la fin de* ; cf. **in the late afternoon :** *à la fin de l'après-midi.*
12. **our paying attention = the fact that we paid attention :** *l'attention que nous avons prêtée.*
13. **would** a aussi ici valeur fréquentative et critique (cf p. 30, n. 9 ; sous-entendu « le genre de choses qui se passaient ».
14. **wagonette :** *voiture (hippomobile) décapotable à quatre roues, avec une banquette transversale à l'avant et de chaque côté une banquette l'une en face de l'autre.*
15. **to shine out :** *briller avec éclat.*
16. m. à m. *comme ils allaient être mouillés.*
17. **cockles :** *coques.*

"Ah! They'll come in the afternoon, you'll find [1]", we said to each other. "Oh, *won't* those people get wet. What a lark [2]!"

At one o'clock the landlady would come in to ask if we weren't going out, as it seemed such a lovely day.

"No, no", we replied, with a knowing [3] chuckle, "not we. *We* don't mean [4] to get wet – no, no."

And when the afternoon was nearly gone, and still there was no sign of rain, we tried to cheer ourselves up with the idea that it would come down all at once [5], just as people had started for home, and were out of the reach of any shelter, and that they would thus get more drenched than ever [6]. But not a drop ever [7] fell, and it finished a grand [8] day, and a lovely night after it.

The next morning we would read that it was going to be a "warm, fine to set-fair day; much heat"; and we would dress ourselves in flimsy things, and go out, and, half an hour after we had started, it would commence [9] to rain hard, and a bitterly cold wind would spring up [10], and both would keep on [11] steadily for the whole day, and we would come home with colds and rheumatism [12] all over us, and go to bed.

The weather is a thing that is beyond [13] me altogether. I never [14] can understand it. The barometer is useless; it is as misleading [15] as the newspaper forecast.

There was one hanging [16] up in a hotel at Oxford at which I was staying last spring, and, when I got there, it was pointing to "set [17] fair".

---

1. **find** a ici le sens de *s'apercevoir, constater*.
2. **a lark** signifie *une alouette*, mais il a ici le sens argotique de *rigolade, blague*.
3. **knowing** : *fin, malin, d'un air entendu* (l'air de qqn possédant des informations qu'il ne veut pas communiquer).
4. **to mean** : *avoir l'intention, se proposer de* (= **to intend**).
5. **all at once** = **suddenly** : *tout à coup*.
6. m. à m. *plus trempés que jamais*.
7. **ever** a le sens de *à un moment ou à un autre* et est rendu nécessaire par la négation **not a drop**.
8. **grand** : *grandiose, magnifique, splendide*.
9. **to commence** [kə'mens] est plus littéraire que **begin** ou **start** et peut être suivi de l'infinitif complet ou du gérondif.
10. **to spring up** : *(se) lever vite* ; s'utilise aussi pour des bâtiments (qui poussent comme des champignons).

« Ah ! Ils viendront cet après-midi, vous verrez », nous disions-nous l'un à l'autre. « Quelle saucée ils vont prendre. La bonne blague ! »

A une heure la propriétaire entrait pour nous demander si nous n'allions pas sortir, par une si belle journée.

« Non, non », répondions-nous, avec un petit rire entendu. « Pas nous. Nous n'avons pas l'intention de nous faire arroser, nous autres... Non, non. »

Et quand l'après-midi était presque écoulé et qu'il n'y avait toujours aucun signe de pluie, nous tentions de nous réjouir à l'idée que cela se mettrait à tomber d'un seul coup, juste au moment où les gens seraient sur le chemin du retour, loin de tout abri et qu'ils n'en seraient ainsi que mieux trempés. Mais il ne tombait pas une goutte et la journée était splendide jusqu'au bout, et la nuit qui suivit était exquise.

Le lendemain matin on lisait qu'on allait avoir une « journée chaude, entre beau et beau fixe ; température élevée », et l'on s'habillait très légèrement pour sortir. Une demi-heure après notre départ, il se mettait à pleuvoir violemment et un vent glacial se levait brusquement, pluie et vent qui duraient toute la journée. Nous rentrions enrhumés et perclus de rhumatismes et devions nous mettre au lit.

Le temps qu'il fera est une chose qui me dépasse entièrement. Je n'y ai jamais rien compris. Le baromètre ne sert à rien, il est aussi trompeur que les prévisions des journaux.

Il y en a un au mur d'un hôtel d'Oxford où je séjournai au printemps dernier. Lors de mon arrivée il marquait « beau fixe ».

---

11. **to keep on** = to go on = to continue : *continuer*.
12. ⚠ à la prononciation de **rheumatism** ['ruːmətizm].
13. **beyond** a ici le sens de **surpassing, exceeding** : *au-dessus* ; cf. **it's beyond his abilities** : *c'est au-dessus de ses capacités.*
14. les adverbes de fréquence se placent en général devant un verbe et après un auxiliaire. Mais on peut les placer, comme ici, devant l'auxiliaire pour marquer l'insistance en les accentuant.
15. **to mislead (misled, misled)** : *induire en erreur, tromper.*
16. **to hang (hung, hung)** v. intr. : *pendre, être suspendu ;* **up** indique la hauteur.
17. **set** (adj.) : *fixe* (= **unchanging**) ; cf. **set in his opinions** : *immuable dans ses convictions.*

It was simply pouring [1] with rain outside, and had been all day; and I couldn't quite make matters out. I tapped the barometer, and it jumped up and pointed to "very dry". The Boots [2] stopped as he was passing and said he expected it meant tomorrow [3]. I fancied that maybe it was thinking of the week before last, but Boots said, No, he thought not [4].

I tapped it again the next morning, and it went up still higher, and the rain came down faster than ever. On Wednesday I went and hit it again, and the pointer went round [5] towards "set fair", "very dry", and "much heat", until it was stopped by the peg, and couldn't go any further. It tried its best, but the instrument was built so that it couldn't prophesy fine weather any harder than it did without breaking itself. It evidently wanted to go on, and prognosticate drought [6], and water famine [7], and sunstroke, and simooms [8], and such things, but the peg prevented it, and it had to be content [9] with pointing to the mere commonplace "very dry [10]".

Meanwhile [11], the rain came down in a steady torrent, and the lower part of the town was under water, owing to the river having overflowed.

Boots said it was evident that we were going to have a prolonged spell [12] of grand weather *some time* [13], and read out a poem which was printed over the top of the oracle [14], about

> Long foretold, long past;
> Short notice, soon past.

---

1. △ à la prononciation de **pouring** [pɔːrɪŋ].
2. nom donné aux serviteurs qui dans les hôtels nettoyaient les chaussures et les bottes.
3. m. à m. *dit qu'il croyait qu'il s'agissait du lendemain.*
4. m. à m. *il croyait que non.*
5. **round** indique que l'aiguille tourne sur le cadran.
6. △ à la prononciation de **drought** [draʊt].
7. ce mot, emprunté au français, ne s'emploie en principe que pour le manque de nourriture, mais le rapport avec le mot faim ne transparaît pas en anglais. Il appartient à la langue littéraire et on utilise plus couramment le mot **starvation**.
8. **simoom** ou **simoon** : *le simoun*. C'est un vent de sable, chaud et sec, qui balaie les déserts d'Afrique et d'Asie au printemps et en été.

Dehors la pluie tombait simplement à seaux et elle n'avait pas cessé de la journée. C'était tout à fait incompréhensible. Je tapotai le baromètre et il grimpa tout d'un coup et marqua « très sec ». Le garçon de l'hôtel s'arrêta en passant et dit que c'était ce à quoi on pouvait s'attendre pour le lendemain. J'imaginais que peut-être il s'agissait de la semaine précédente mais le garçon d'hôtel répondit qu'il ne le croyait pas.

Je le tapotai à nouveau le lendemain matin et il monta encore plus haut tandis que la pluie tombait plus dru que jamais. Le mercredi j'allai de nouveau lui donner un coup. L'aiguille se dirigea vers « beau fixe », « très sec » et « forte chaleur » jusqu'à ce qu'elle s'arrêtât sur le butoir qui l'empêcha d'aller plus loin. Elle fit de son mieux mais l'appareil était fait de telle façon qu'il ne pouvait prophétiser plus beau temps sans se briser. De toute évidence elle voulait continuer et pronostiquer sécheresse, disette d'eau, insolations, simouns et autres fléaux de ce genre, mais le butoir l'en empêcha et elle dut se contenter d'indiquer, sans aucune originalité, « très sec ».

Pendant ce temps, une pluie torrentielle et continue s'abattait sur la ville et noyait tous les bas quartiers en faisant sortir le fleuve de son lit.

Le garçon d'hôtel déclara qu'il était certain qu'ils allaient avoir une période prolongée de temps splendide un jour et me lut les vers qui étaient inscrits au fronton de l'oracle :

Ce qui est prédit depuis longtemps est passé depuis longtemps.
Ce qui est annoncé pour bientôt sera bientôt passé.

---

9. △ **content** [kən'tent] (adj.) : *content, satisfait* mais **content** ['kɔntent] (nom) : *contenu, teneur*.
10. m. à m. *vers le simple et banal « très sec ».*
11. **meanwhile = in the meantime** : *en attendant, dans l'intervalle*.
12. **spell** : *(courte) période*.
13. **some time (or other)** : *un de ces jours, un jour ou l'autre.*
14. **oracle** [ɔ'rəkl] est à la fois la réponse que donnait une divinité à ceux qui la consultaient, la divinité elle-même et, comme c'est le cas ici, le sanctuaire où elle rendait ces oracles ; cf. l'oracle de Delphes.

The fine weather never came that summer. I expect that machine must have been referring to the following spring.

. . . .

But who wants to be foretold [1] the weather? It is bad enough when it comes, without our having the misery of knowing about it beforehand [2]. The prophet we like is the old man who, on the particularly gloomy-looking [3] morning of some day when we particularly want it to be fine, looks round the horizon with a particularly knowing eye, and says:

"Oh, no, sir, I think it will clear up all right [4]. It will break all right enough, sir."

"Ah, he knows", we say, as we wish him good-morning, and start off [5]; "wonderful how these old fellows can tell!"

And we feel an affection for that man which [6] is not at all lessened [7] by the circumstance of its *not* clearing up [8], but continuing to rain steadily all day [9].

"Ah, well", we feel, "he did his best."

For the man that prophesies us bad weather, on the contrary, we entertain only bitter and revengeful thoughts.

"Going to clear up, d'ye [10] think?" we shout, cheerily, as we pass.

"Well, no, sir; I'm afraid it's settled down for the day" [11], he replies, shaking his head.

"Stupid old fool!" we mutter, "what's *he* know about it?" And, if his portent [12] proves correct, we come back feeling still more angry [13] against him, and with a vague notion that, somehow or other [14], he has had something to do with it [15].

---

1. **to foretell, foretold, foretold :** *prédire*. Verbe formé à partir du verbe **tell** auquel on a ajouté le préfixe **fore** qui signifie **before** *(avant)* ; cf. **to forecast** *(prévoir)*, **foreshadow** *(présager)*, **foresee** *(prévoir)*, **forewarn** *(prévenir)*, etc.
2. **beforehand :** *d'avance, à l'avance.*
3. notez la construction de l'adjectif composé **gloomy-looking** *(sombre)* = **which looks gloomy,** sur le modèle de **good-looking** *(beau)*.
4. **all right :** *de manière satisfaisante.*
5. **to start off :** *commencer* ses remarques (ou actions) en disant quelque chose de particulier.
6. **which** ne pouvant se rapporter qu'à un antécédent « non humain », il n'y a ici aucune ambiguïté.
7. **to lessen :** *diminuer, réduire, atténuer.* Verbe formé à partir de **less** *(moins)*, le comparatif de **little** *(peu)*.

Le beau temps n'arriva jamais cet été-là. Je suppose que l'engin devait faire allusion au printemps suivant.

. . . .

Mais quel besoin avons-nous qu'on nous prédise le temps ? C'est suffisamment triste quand cela arrive sans que l'on nous inflige le supplice de le savoir à l'avance. Le seul prophète qui nous convienne est le bon vieillard qui, au matin particulièrement maussade d'une journée qu'on souhaite particulièrement belle, scrute l'horizon d'un air particulièrement averti et déclare :

« Oh non, monsieur, je crois que ça va se lever. Le ciel va bien se dégager, monsieur. »

« Ah, il s'y connaît », jugeons-nous, en lui souhaitant le bonjour et en nous mettant en route. « C'est formidable ce que ces vieux sont capables de prédire. »

Et nous avons pour ce vieillard une sympathie que ne vient pas atténuer le fait que le temps ne se lève pas et que la pluie ne cesse de tomber toute la journée.

« Enfin », vous dites-vous, « il a fait de son mieux. »

Envers celui qui nous prophétise du mauvais temps, au contraire, nous n'éprouvons qu'amertume et ressentiment.

« Ça va se lever, vous croyez ? » crions-nous d'un ton enjoué, en passant.

« Ah non, monsieur, je crains que ce ne soit parti pour toute la journée », répond-il en hochant la tête.

« Vieil imbécile », marmonnons-nous, « qu'est-ce qu'il en sait ? » Et si son augure se révèle exact, nous revenons de promenade encore plus fâchés contre lui, et avec une vague idée qu'il en est plus ou moins responsable.

---

8. **its not clearing up** = the fact that it does not clear up. Notez la nominalisation du verbe qui, transformé en nom verbal, peut être précédé d'un adjectif possessif.
9. **all day** = all day long (toute la journée), indique seulement la durée alors que **the whole day** donne l'idée de l'occupation du temps. On dirait donc **it rained all day** mais **he spent the whole day reading.**
10. = do you.
11. m. à m. (le mauvais temps) s'est installé pour la journée.
12. **portent :** présage ; cf. **of evil portent :** de mauvais présage.
13. deux formes de comparatif : **more angry** et **angrier.**
14. d'une façon/manière ou d'une autre.
15. m. à m. il a quelque chose à voir avec ça.

Extrait n° 5 (chapitre 7)

Les bagages faits, il faut les porter jusqu'au lieu d'embarquement. Un attroupement se forme, on fait des commentaires désobligeants sur la quantité de bagages et les intentions de leurs propriétaires. Nos voyageurs vont à la gare de Waterloo où aucun employé n'est capable de leur dire de quel quai part le train de 11 h 15 pour Kingston. Ce n'est qu'en soudoyant le mécanicien qu'ils peuvent se rendre dans cette ville où les attend le canot sur lequel ils doivent naviguer pendant quinze jours. On nous décrit cette cité où l'on couronnait les rois saxons. Un ami du narrateur y visita, un jour, la maison d'un boutiquier qui avait recouvert des lambris de chêne avec du plâtre et du papier. Cela permet de faire remarquer que dans la vie les gens n'apprécient pas ce qu'ils ont et qui suscite l'envie de ceux qui ne l'ont pas. Jérome cite alors l'exemple de l'élève le plus studieux de son école, qui était, à son grand désarroi, souvent absent car il attrapait toutes les maladies, tandis que les autres élèves faisaient tout pour être malades mais ne parvenaient pas à manquer l'école. Comme ils passent devant Hampton Court, Harris raconte comment il se perdit dans son labyrinthe et y resta de longues heures avant d'être délivré.

Nothing is more fetching [1], to my thinking [2], than a tasteful [3] boating costume. But a "boating costume", it would be as well if all ladies would understand [4], ought to be a costume that can be worn in a boat, and not merely under a glass case. It utterly spoils an excursion if you have folk [5] in the boat who are thinking all the time a good deal more of their dress than of the trip. It was my misfortune once to go for a water picnic with two ladies of this kind. We did have a lively [6] time!

They were both beautifully got up [7] – all lace and silky stuff [8], and flowers, and ribbons, and dainty shoes, and light gloves. But they were dressed for a photographic studio [9], not for a river picnic. They were the "boating costumes" of a French fashion plate [10]. It was ridiculous, fooling about [11] in them anywhere near real earth, air, and water.

The first thing was that they thought [12] the boat was not clean. We dusted all the seats for them, and then assured them that it was, but they didn't believe us. One of them rubbed the cushion with the forefinger of her glove, and showed the result to the other, and they both sighed, and sat down, with the air of early Christian martyrs trying to make themselves comfortable up against the stake [13]. You are liable [14] to occasionally splash a little when sculling, and it appeared that a drop of water ruined those costumes. The mark never came out, and a stain was left on the dress for ever.

I was stroke. I did my best. I feathered [15] some two feet high, and I paused at the end of each stroke to let the blades drip before returning them, and I picked out a smooth bit of water to drop them into again each time.

---

1. **fetching** : *attrayant, charmant, ravissant.*
2. **to my thinking** = in my opinion : *à mon avis* ; **thinking** : *point de vue, opinion.*
3. **tasteful** : *de bon goût, élégant* ≠ **tasteless** : *insipide ; de mauvais goût.*
4. m. à m. *ce serait aussi bien si toutes les dames voulaient le comprendre.*
5. **folk** (fam.) = **people** : *des gens.*
6. **lively** : *animé, plein de vie.* Utilisé de façon ironique ; **a lively time** : *des instants mouvementés.*
7. **to get up** a ici non pas le sens de *se lever, monter* ou *organiser*, mais celui de *bien s'habiller, se mettre sur son trente et un.*
8. **stuff** a ici un sens très vague *(truc, chose).*

Je ne connais rien de plus ravissant qu'une tenue de canotage choisie avec goût. Mais ce qu'il faudrait que toutes les femmes comprennent, c'est qu'une tenue de canotage doit être une tenue qu'on peut porter pour faire du canotage et non simplement à mettre sous verre. Cela vous gâche complètement le plaisir d'avoir dans votre bateau des gens qui se préoccupent toujours davantage de leur toilette que de la balade. J'eus un jour le malheur d'aller pique-niquer sur l'eau avec deux demoiselles de ce genre. Ce fut vraiment mouvementé !

Elles étaient toutes les deux très bien habillées : tout en dentelle et en soie, avec des fleurs, des rubans, de jolis souliers et des gants clairs. Mais c'était là une toilette pour une séance de photographies, pas pour un pique-nique sur la rivière. C'était la « tenue de canotage » d'une gravure de mode française. Il était ridicule de se hasarder dans cette tenue en plein air, à proximité de la terre et de l'eau.

Pour commencer, elles trouvèrent que la barque n'était pas propre. On épousseta leur siège et les assura alors qu'il l'était mais elles ne nous crurent pas. L'une d'elles passa l'index ganté sur le coussin et le montra ensuite à l'autre, elles poussèrent toutes deux un soupir et s'assirent, avec l'air des premiers martyrs chrétiens s'efforçant de faire bonne figure sur le bûcher. Il peut arriver que l'on éclabousse un peu quand on rame. Or il sembla que la moindre goutte d'eau détériorait ces toilettes. La trace ne s'en effaçait jamais et laissait sur la robe une tache indélébile.

J'étais aviron arrière. Je faisais de mon mieux. Je « plumais » à plus de cinquante centimètres de hauteur et je m'arrêtais à la fin de chaque coup d'aviron pour laisser les pales s'égoutter avant de les retourner et je choisissais à chaque fois un endroit où il n'y avait pas de vagues pour les y replonger.

---

9. on était à cette époque aux débuts de la photographie.
10. **fashion-plate :** gravure montrant les vêtements à la mode du moment.
11. **to fool about :** faire l'idiot ; perdre son temps ; faire des choses sans importance.
12. m. à m. *la première chose est qu'elles pensaient que...*
13. m. à m. *debout contre le poteau* (du bûcher) ; **to be burnt at the stake :** *mourir sur le bûcher.*
14. **to be liable to do sth** = to be likely to do sth : *risquer, avoir des chances de faire qqch.*
15. technique qui consiste à tourner l'aviron dès qu'on le sort de l'eau pour qu'il coupe l'air de côté.

(Bow said, after a while, that he did not feel himself a sufficiently accomplished oarsman to pull with me, but that he would sit still, if I would allow him, and study my stroke. He said it interested him.) But notwithstanding [1] all this, and try as I would, I could not help [2] an occasional flicker of water from going over those dresses.

The girls did not complain, but they huddled up close together, and set their lips firm, and every time a drop touched them, they visibly shrank [3] and shuddered. It was a noble sight to see them suffering thus in silence, but it unnerved me altogether. I am too sensitive [4]. I got wild [5] and fitful [6] in my rowing, and splashed more and more, the harder I tried not to [7].

I gave it up at last; I said I'd row bow. Bow thought the arrangement would be better too, and we changed places. The ladies gave an involuntary sigh of relief when they saw me go, and quite brightened up [8] for a moment. Poor girls! they had better have put up [9] with me. The man they had got now was a jolly, light-hearted [10], thick-headed [11] sort of chap with about as much sensitiveness in him as there might be in a Newfoundland [12] puppy. You might look daggers [13] at him for an hour and he would not notice it, and it would not trouble him if he did. He set a good, rollicking [14], dashing stroke that sent the spray playing all over the boat like a fountain [15], and made the whole crowd sit up straight in no time. When he spread more than a pint of water over one of those dresses, he would give a pleasant little laugh, and say:

"I beg your pardon, I'm sure"; and offer them his handkerchief to wipe it off with.

---

1. **notwithstanding** peut être préposition (*malgré, en dépit de*) comme ici ou adverbe (*néanmoins, malgré tout*).
2. ⚠ à la construction **I can't help doing sth** : *je ne peux pas m'empêcher de faire qqch* et **I can't help sbd/sth from doing sth** : *je ne peux pas empêcher qqn/qqch de faire qqch.*
3. **to shrink, shrank, shrunk** : *avoir un mouvement de recul, se dérober ; rétrécir* (vêtement).
4. ⚠ **sensitive** : *sensible, susceptible* alors que **sensible** : *sensé, raisonnable.*
5. **wild** : *fou, furieux.*
6. **fitful** : *troublé, agité* ; cf. **fitful sleep** (*sommeil agité*).
7. sous-entendu « **I tried not to splash** » : *j'essayais de ne pas éclabousser.*

(L'aviron avant m'annonça au bout d'un moment qu'il ne se sentait pas rameur assez accompli pour souquer avec moi et qu'il allait, si je lui permettais, rester tranquillement assis à étudier mon coup d'aviron qui l'intéressait.) Mais, malgré tout, j'avais beau faire, je ne pouvais pas m'empêcher d'asperger parfois un peu leur robe.

Elles ne se plaignaient pas, mais blotties l'une contre l'autre, elles serraient les lèvres et, chaque fois qu'une goutte les atteignait, on les voyait reculer en frissonnant. C'était un spectacle sublime que de les voir ainsi souffrir en silence mais il me fit perdre tous mes moyens. Je suis trop sensible. Je me mis à ramer de façon heurtée et désordonnée, et j'éclaboussai d'autant plus que je faisais plus d'efforts pour l'éviter.

Je finis par y renoncer et demandai à passer à l'avant. L'aviron d'avant estima aussi que cela vaudrait mieux et nous échangeâmes nos places. En me voyant partir les demoiselles poussèrent un soupir de soulagement involontaire et elles furent très gaies pendant un moment. Pauvres filles ! Elles auraient mieux fait de s'accommoder de moi. Celui qui me remplaçait était un joyeux drille, gaillard et sot, doué d'à peu près autant de sensibilité qu'un jeune terre-neuve. On pouvait le foudroyer du regard pendant une heure sans qu'il s'en aperçût ou sans que cela le dérangeât s'il s'en apercevait. Il adopta un coup d'aviron, allègre et plein d'allant, qui, pareil à une fontaine, envoya des gerbes d'eau partout sur le bateau, et fit, en un clin d'œil, se redresser tous les passagers. Quand il répandait plus d'un demi-litre d'eau sur l'une de ces robes, il disait avec un petit rire affable :

« Je vous demande pardon, vraiment. » Et il leur proposait son mouchoir pour s'essuyer.

---

8. **to brighten up :** *s'égayer, s'animer* (personne) ; *s'éclaircir, se dégager* (temps, ciel).
9. forme passée de **they had better put up** (*elles feraient mieux de s'accommoder*).
10. notez la formation de l'adjectif composé, en ajoutant la terminaison **-ed** au nom. **Light-hearted = with a light heart** (*le cœur léger*) donc *gai, aimable, enjoué.*
11. même formation que ci-dessus pour cet adjectif familier. **Thick** a le sens de *borné, obtus, bête.*
12. cette grande île à l'embouchure du Saint-Laurent (Canada) a donné son nom à une race de grands chiens **(Newfoundland dogs)** réputés pour leur force et leur endurance.
13. **a dagger :** *un poignard.*
14. **rollicking :** *joyeux, d'une gaieté exubérante.*
15. m. à m. *aspergea tout le bateau comme le jet d'une fontaine.*

"Oh, it's of no consequence", the poor girls would murmur in reply, and covertly [1] draw rugs [2] and coats over themselves, and try and protect themselves with their lace parasols.

At lunch they had a very bad time of it. People wanted them to sit on the grass, and the grass was dusty; and the tree-trunks, against which they were invited to lean, did not appear to have been brushed [3] for weeks; so they spread their handkerchiefs on the ground, and sat on those, bolt upright. Somebody, in walking about with a plate of beef-steak pie, tripped up over a root, and sent the pie flying [4]. None of it went over them, fortunately, but the accident suggested a fresh danger to them, and agitated them [5]; and, whenever anybody moved about, after that, with anything in his [6] hand that could fall and make a mess, they watched that person with growing anxiety until he sat down again.

"Now then, you girls", said our friend bow to them, cheerily, after it was all over, "come along [7], you've got to wash up [8]!"

They didn't understand him at first. When they grasped [9] the idea, they said they feared they did not know how to wash up.

"Oh, I'll soon show you", he cried ; "it's rare fun! You lie down on your – I mean you lean over the bank, you know, and slush [10] the things about [11] in the water."

The elder [12] sister said that she was afraid that they hadn't got on [13] dresses suited to the work.

---

1. **covertly :** *furtivement, à la dérobée* ; cf. **a covert glance :** *un regard furtif.*
2. **rug :** petite couverture épaisse, en laine, dont l'on s'enveloppe pour se maintenir au chaud pendant les voyages.
3. notez l'utilisation de la forme du **present perfect** (**to have** + participe passé), ici à l'infinitif, avec **for** dans le sens de *depuis.* **It did not seem to have been brushed for weeks = it apparently had not been brushed for weeks.**
4. **to send sth flying :** *envoyer valser qqch.*
5. **to be very agitated :** *être dans tous ses états.*
6. **his** reprend **anybody** puisque les personnes en question étaient tous des hommes.
7. cet impératif peut être, selon le ton employé, un ordre de se dépêcher ou, comme c'est le cas ici, une simple invitation à faire qqch.

« Oh, ce n'est pas grave », répondaient tout bas les pauvres filles. Et subrepticement elles tiraient sur elles couvertures et manteaux et tentaient de se protéger avec leurs ombrelles en dentelle.

Au déjeuner elles passèrent un bien mauvais moment. On voulait les faire asseoir sur l'herbe, et l'herbe était poussiéreuse, et les troncs d'arbres sur lesquels on les invitait à s'appuyer paraissaient ne pas avoir été brossés depuis des semaines. Aussi étalèrent-elles leur mouchoir sur le sol pour s'asseoir dessus, raides comme la justice. Quelqu'un, en passant avec une assiette de pâté de bœuf en croûte, trébucha sur une racine et fit voler le pâté. Elles ne furent pas touchées, heureusement, mais l'incident les persuada qu'un danger imminent les guettait et les inquiéta. Aussi quand, ensuite, quelqu'un se déplaçait avec, à la main, quelque chose qui pouvait tomber et les tacher, elles le surveillaient avec une inquiétude croissante jusqu'à ce qu'il se fût rassis.

« Allons, mesdemoiselles », leur dit notre ami rameur après qu'on eut terminé, « venez, c'est à vous de faire la vaisselle ! »

Elles ne le comprirent pas tout d'abord. Quand elles eurent saisi, elles dirent qu'elles craignaient de ne pas savoir comment faire.

« Oh, je vais tout de suite vous montrer, s'écria-t-il. C'est très amusant ! Vous vous allongez sur le... Je veux dire que vous vous penchez au-dessus de la berge et trempez les choses dans l'eau. »

L'aînée dit qu'elles avaient peur de ne pas avoir les robes convenant à cette besogne.

---

8. **to wash up** = to do the washing-up : *faire la vaisselle*.
9. **grasp** a ici le sens de *saisir, comprendre* et non le sens propre de *saisir, empoigner*.
10. **to slush** : *laver à grande eau, en aspergeant d'eau* (= **to sluice**).
11. **about** indique le mouvement en tout sens.
12. **elder** : *aîné* (de deux). Il s'agit du comparatif de supériorité de **old** (= **older**).
13. **to get on** = to put on : *mettre* (un vêtement).

"Oh, they'll be all right", said he lightheartedly; "tuck'em up [1]."

And he made them do it, too. He told them that that sort of thing was half the fun of a picnic. They said it was very interesting.

Now I come to think it over [2], was that young man as dense-headed [3] as we thought? or was he — no, impossible! there was such a simple, child-like expression about him!

---

1. **to tuck up** : *remonter* (manches) ; *replier* (jambes).
2. **to think sth over** : *réfléchir à qqch.*
3. **dense-headed** = thick-headed : *obtus, borné.*

« Oh, ça ira très bien », dit-il d'un ton enjoué, « z'avez qu'à les retrousser. »

Et elles durent s'exécuter. Il leur dit que ce genre d'intermède constituait la moitié du plaisir d'un pique-nique. Elles convinrent que c'était très intéressant.

A présent que j'y repense, je me demande si ce jeune homme était aussi obtus que je le croyais. Ou était-il... ? Non, impossible ! Son visage reflétait une candeur si puérile !

Extrait n° 6 (chapitre 8)

Harris manifeste le désir d'aller visiter un cimetière, ce qui ne plaît guère au narrateur. Ils ne peuvent s'y rendre car George, travaillant à la banque le jour, doit les retrouver à un endroit et à un moment précis.

We stopped under the willows by [1] Kempton Park, and lunched. It is a pretty little spot there; a pleasant grass plateau, running along by the water's edge [2], and overhung [3] by willows. We had just commenced the third course – the bread and jam – when a gentleman in shirt sleeves and a short pipe came along, and wanted to know if we knew that we were trespassing [4]. We said we hadn't given the matter sufficient consideration as yet to enable us to arrive at a definite conclusion on that point, but that, if he assured us on his word as a gentleman that we *were* trespassing, we would, without further hesitation [5], believe it.

He gave us the required assurance, and we thanked him, but he still hung about, and seemed to be dissatisfied [6], so we asked him if there was anything further that we could do for him [7]; and Harris, who is of a chummy [8] disposition, offered him a bit of bread and jam.

I fancy he must have belonged to some society sworn [9] to abstain from [10] bread and jam; for he declined it quite gruffly [11], as if he were vexed at being tempted with it, and he added that it was his duty to turn us off.

Harris said that if it was a duty it ought to be done, and asked the man what was his idea with regard to the best means [12] for accomplishing it. Harris is what you would call a well-made [13] man of about number one size [14].

And looks hard and bony, and the man measured him up and down [15], and said he would go and consult his master, and then come back and chuck [16] us both into the river.

---

1. **by** : *à côté de, près de.*
2. = **the edge of the water**. Notez l'utilisation d'un génitif où le premier nom joue le rôle de sujet et le second d'objet (sous-entendu : **the water has an edge**). On a un sens tout à fait différend en cas d'apposition ; ex. : **a water rat** (= **a rat that lives in the water**).
3. **to overhang, overhung, overhung** : *surplomber.*
4. **to trespass** : *s'introduire sans permission* ; cf. **no trespassing** *(propriété privée).*
5. m. à m. *nous le croirions, sans plus d'hésitation.*
6. notez le préfixe négatif **dis** ajouté à l'adjectif **satisfied** ; cf. **disrespectful** *(irrespectueux)*, **disorganized** *(désórganisé)*, **dissimilar** *(dissemblable)*, etc.
7. m. à m. *s'il y avait quelque chose de plus que nous pourrions faire pour lui.*

Nous fîmes halte pour déjeuner sous les saules, aux abords de Kempton Park. C'est là un joli petit coin : un agréable plateau couvert d'herbe, qui longe le bord du fleuve, à l'ombre des saules. Nous en étions à peine au troisième plat – pain et confiture – lorsqu'un monsieur en bras de chemise et bouffarde au bec arriva. Il voulait savoir si nous étions conscients d'être sur une propriété privée. Nous lui répondîmes que nous n'avions pas encore examiné la chose d'assez près pour arriver sur ce point à une conclusion définitive mais que, s'il nous donnait sa parole d'honneur que nous étions vraiment sur une propriété privée, nous n'hésiterions pas plus longtemps à le croire.

Il nous donna l'assurance requise et nous le remerciâmes, mais comme il restait là et paraissait mécontent, nous lui demandâmes si nous pouvions encore faire quelque chose pour lui et Harris qui est très sociable lui offrit une tartine de confiture.

J'imagine qu'il devait appartenir à une société où l'on prêtait serment de ne pas toucher aux tartines de confiture ; car il refusa d'un ton bourru comme s'il était vexé d'avoir été tenté et il ajouta que c'était son devoir de nous mettre dehors.

Harris dit que si tel était son devoir, il lui fallait s'en acquitter et il l'interrogea sur les moyens qu'il jugeait les meilleurs pour l'accomplir. Harris est ce qu'on peut appeler un homme bien bâti et de belle taille et il a un air anguleux et sévère.

Le type le mesura du regard et dit qu'il allait consulter son maître après quoi il reviendrait nous flanquer tous les deux dans le fleuve.

---

8. **chummy** (fam.) : *sociable, très liant*. Formé sur le mot **chum** [tʃʌm] : *copain*.

9. **to swear, swore, sworn :** *jurer, prêter serment*.

10. **to abstain from :** *s'abstenir de*.

11. **gruffly :** *d'un ton bourru, brusque*.

12. **the means for doing sth :** *les moyens de faire qqch*.

13. remarquez la formation de l'adjectif composé avec adverbe et participe passé. **This man is well made → he is a well-made man.** Sur ce même modèle : **well-bred** *(bien élevé)*, **well-dressed** *(bien habillé)*, **well-fed** *(bien nourri)*, etc.

14. **number one** (fam.) = **very large** *(très grand)*.

15. **up and down** indiquent le mouvement des yeux.

16. **to chuck** (fam.) : *lancer, jeter ; **to chuck out** : *balancer* (objet inutile) ; *vider, sortir* (personne).

Of course, we never saw him any more, and, of course, all he really wanted was a shilling [1]. There are a certain number of riverside roughs [2] who make quite an income during the summer, by slouching [3] about the banks and blackmailing [4] weak-minded noodles [5] in this way. They represent themselves [6] as sent by the proprietor. The proper course to pursue is to offer your name and address, and leave the owner, if he really has anything to do with the matter, to summon [7] you, and prove what damage you have done to his land by sitting down on a bit of it. But the majority of people are so intensely lazy and timid, that they prefer to encourage the imposition [8] by giving in to it rather than put an end to it by the exertion [9] of a little firmness.

Where it is really the owners that are to blame, they ought to be shown up [10]. The selfishness of the riparian proprietor grows with every year. If these men had their way they would close the River Thames altogether. They actually do this along the minor tributary streams and in the backwaters. They drive posts into the bed of the stream, and draw chains across from bank to bank, and nail huge notice-boards on every tree. The sight of those notice-boards rouses every evil instinct in my nature. I feel I want to tear [11] each one down, and hammer it over the head of the man who put it up [12], until I have killed him, and then I would bury him, and put the board up over [13] the grave [14] as a tombstone [15].

---

1. jusqu'en 1970 la livre **(pound)** était divisée en 20 shillings et chaque shilling en 12 pence.
2. **rough** (fam.) : *voyou* ; **rough** (adj.) : *fruste, brutal, rude.*
3. **to slouch** ['slautʃ] : *marcher en traînant le pas* ; **to slouch about** : *rôder.*
4. **to blackmail sbd** : *faire chanter qqn* ; **blackmail** : *le chantage* ; **a blackmailer** : *un maître-chanteur.*
5. **a noodle** : *un bêta, un nigaud, un benêt* ; **noodles** : *novilles.*
6. **to represent oneself as** : *se présenter comme, se donner pour.*
7. **to summon sbd** (juridique) : *sommer qqn de comparaître.*
8. **imposition** : *supercherie, tromperie, imposture.*
9. **the exertion** : *l'usage, l'emploi* ; **to exert** : *employer, faire usage de.*

Bien entendu on ne le revit plus et, bien entendu, ce qu'il voulait c'était un shilling. Il y a tout au long de la Tamise un certain nombre de canailles qui, l'été, se font de vraies rentes en rôdant sur les berges et en faisant chanter de cette façon les pauvres jobards. Ils se présentent comme envoyés par le propriétaire. La démarche à suivre est de donner vos nom et adresse, et de laisser le propriétaire, si cela le concerne vraiment, vous traîner en justice et faire la preuve du dommage que vous avez causé à son terrain, à l'endroit précis où vous vous êtes assis. Mais la majorité des gens sont d'une mollesse et d'une timidité si grandes qu'ils préfèrent encourager l'imposture en obtempérant plutôt que d'y mettre fin en faisant preuve d'un peu de fermeté.

Là où ce sont réellement les propriétaires qui sont coupables, ils doivent être dénoncés. L'égoïsme des propriétaires riverains augmente chaque année. Si on les laissait faire, ils clôtureraient complètement la Tamise. C'est ce qu'ils font effectivement le long des petits affluents et des bras morts. Ils enfoncent des piquets dans le lit de la rivière, tendent des chaînes d'une rive à l'autre et clouent d'immenses écriteaux sur tous les arbres. La vue de ces écriteaux réveille tous les mauvais instincts que j'ai en moi. J'ai envie de tous les arracher et d'en donner des coups sur la tête de ceux qui les posent jusqu'à ce qu'ils meurent et alors je les enterrerais et mettrais l'écriteau sur leur tombe en guise de stèle funéraire.

---

10. **to show sbd up as/for** : *révéler qqn comme étant, montrer que qqn est...*
11. **to tear** [tɛə], **tore, torn down** : *arracher* (affiche), *démolir* (bâtiment).
12. **to put up** : *installer, monter.*
13. **over** : *au-dessus de.*
14. **grave** : excavation creusée dans le sol pour y enterrer un mort.
15. **tombstone** ['tu:mstəun] : *pierre tombale.*

I mentioned these feelings of mine to Harris, and he said he had them worse than that. He said he not only felt he wanted to kill the man who caused the board to be put up, but that he should [1] like to slaughter the whole of his family [2] and all his friends and relations [3], and then burn down his house. This seemed to me to be going too far, and I said so to Harris; but he answered: "Not a bit of it. Serve'em all jolly well right [4], and I'd go and sing comic songs on the ruins."

I was vexed to hear Harris go on in this bloodthirsty strain [5]. We never ought to allow our instincts of justice to degenerate into mere [6] vindictiveness. It was a long while before I could get Harris to take a more Christian view of the subject, but I succeeded at last, and he promised me that he would spare the friends and relations at all events [7], and would not sing comic songs on the ruins.

---

1. **should** est une forme qui a ici valeur de subjonctif, exprimant le souhait et que certains grammairiens appellent **putative subjunctive**. On la trouve dans les propositions subordonnées de phrases où l'on exprime une réaction personnelle à un événement. C'est le cas par exemple après **sorry, shocked, natural**, etc. Ex. : **it is a shame he should behave that way** (dommage qu'il se conduise de cette façon), **I'm sorry you should think that**, etc.
2. **the whole of his family** = his whole family : toute sa famille.
3. **relations** : parents, membres de la famille ; cf. **a distant relation** : un parent éloigné.
4. **(it) serves you right** : c'est bien fait pour vous.
5. m. à m. continuer dans cette veine sanguinaire ; **strain** (poésie, musique) : accents.
6. **mere** [miə] : simple, pur, seul.
7. **at all events** : en tout cas, de toute façon.

Je fis part de mes sentiments à Harris, et il me dit que les siens étaient pires encore. Il déclara qu'il n'avait pas seulement le désir de tuer celui qui avait fait poser l'écriteau mais qu'il aimerait massacrer sa famille entière, avec tous ses amis et ses proches et ensuite brûler sa maison. Cela me parut excessif et je le dis à Harris. Mais il répliqua :

« Pas du tout. Ce serait joliment bien fait pour eux, et j'irais même chanter des chansons comiques sur les ruines. »

J'étais contrarié d'entendre Harris laisser libre cours à ses tendances sanguinaires. Nous ne devrions jamais permettre à notre sens de la justice de dégénérer en pure méchanceté. Il me fallut un bon moment pour parvenir à ramener Harris à des sentiments plus chrétiens. Mais je finis par y réussir et il me promit en tout cas d'épargner les amis et les parents et de ne pas chanter de chansons comiques sur les ruines.

Harris, qui a la prétention de chanter des chansons comiques, pousse quelquefois la chansonnette. Mais il est lamentable et se rend ridicule. Jérome raconte alors une anecdote qui s'est passée lors d'une soirée où il avait été invité. Deux jeunes Allemands firent croire à l'assistance qu'elle allait entendre une chanson comique. Celle-ci ne manqua pas de s'esclaffer tandis que le chanteur allemand interprétait un des morceaux de tragédie les plus émouvants de la littérature germanique. Voyant la fureur du chanteur, Jérome fut très embarrassé et quitta honteusement la soirée. On nous décrit ensuite quelques localités qui se trouvent sur la Tamise et, à une écluse, George les attend avec, sous le bras, un volumineux paquet contenant un banjo qu'il vient d'acheter, avec la méthode d'apprentissage de l'instrument.

We made George work, now [1] we had got him. He did not want to work, of course; that goes without saying. He had had a hard time [2] in the City [3], so he explained. Harris, who is callous [4] in his nature, and not prone [5] to pity, said:

"Ah! and now you are going to have a hard time on the river for a change; change is good for everyone. Out [6] you get!"

He could not in conscience – not even George's conscience – object, though he did suggest that, perhaps, it would be better for him to stop in the boat, and get tea ready, while Harris and I towed, because getting tea was such [7] a worrying work, and Harris and I looked tired. The only reply we made to this, however, was to pass him over [8] the tow-line, and he took it, and stepped out [9].

There is something very strange and unaccountable [10] about a tow-line. You roll it up with as much patience and care as you would take to fold up a new pair of trousers, and five minutes afterwards, when you pick it up, it is one ghastly, soul-revolting [11] tangle.

I do not wish to be insulting, but I firmly believe that if you took an average tow-line, and stretched it out straight across the middle of a field, and then turned your back on it for thirty seconds, that, when you looked round again, you would find that it had got itself altogether in a heap in the middle of the field, and had twisted itself up, and tied itself into knots, and lost its two ends, and become all loops; and it would take a good half-hour, sitting down there on the grass and swearing all the while [12], to disentangle it again.

---

1. **that** est sous-entendu : **now that we had got him.**
2. m. à m. *il avait passé un moment pénible dans la Cité.*
3. la « Cité » est un quartier de Londres où sont concentrées les principales banques et institutions financières du pays.
4. **callous** signifie au sens propre *calleux* et au figuré *dur, sans cœur, insensible.*
5. **prone** = liable : *enclin, prédisposé* (**to sth,** *à qqch ;* **to do sth,** *à faire qqch*).
6. l'adverbe placé en début de phrase donne plus de force à l'ordre. Cf. **off you go** ! : *allez, ouste !*
7. **such** s'utilise toujours devant un nom (accompagné ou pas d'un adjectif) précédé d'un article indéfini. **Such** est incompatible avec l'article indéfini et les adjectifs démonstratifs et possessifs.

A présent que nous le tenions, il fallait faire travailler George. Il ne voulait pas travailler, bien entendu, cela va sans dire. Il s'était beaucoup fatigué dans sa banque londonienne, expliquait-il. Harris, qui est d'un naturel insensible et peu enclin à la pitié, répondit :

« Ah, maintenant tu vas beaucoup te fatiguer sur la Tamise pour changer, la diversion fait du bien à tout le monde. Allez, descends nous tirer ! »

George ne pouvait en toute conscience, pas même la sienne, s'y refuser. Bien qu'il laissât entendre que, peut-être, il vaudrait mieux qu'il reste dans le bateau et prépare le thé tandis qu'Harris et moi nous halerions, car préparer le thé était une tâche si pénible et Harris et moi avions l'air fatigué. Pour toute réponse à cette proposition, nous lui lançâmes la corde de halage dont il s'empara avant de mettre pied à terre.

Ce genre de cordage a quelque chose de très curieux et d'insaisissable. Vous l'enroulez avec autant de patience et de soin que vous en auriez pour plier un pantalon neuf et cinq minutes plus tard quand vous le ramassez, ce n'est qu'un enchevêtrement effrayant et lamentable.

Cela dit sans vouloir leur faire injure, je crois que si vous preniez une corde de halage ordinaire et que vous la tendiez bien droit à travers le milieu d'un champ, il vous suffirait de tourner le dos trente secondes pour que vous la retrouviez tout en tas au centre du champ. Elle serait tout entortillée, aurait perdu ses deux bouts et ne serait plus que boucles. Et il vous faudrait une bonne demi-heure, assis là sur l'herbe à jurer sans arrêt pour la démêler.

---

8. **over** suggère que l'on passe la corde au-dessus de choses qui se trouvent sur le bateau.
9. sous-entendu **out of the boat.**
10. **unaccountable :** *inexplicable* = **that you cannot account for** *(que l'on ne peut pas justifier).*
11. m. à m. *qui révolte l'âme.*
12. **a while :** *(espace de) temps ;* **all the while :** *tout le temps.*

That is my opinion of tow-lines in general. Of course, there may be honourable exceptions; I do not say that there are not [1]. There may be tow-lines that are a credit to their profession – conscientious, respectable tow-lines – tow-lines that do not imagine they are crotchet-work, and try to knit themselves up [2] into antimacassars [3] the instant they are left to themselves. I say there *may* be such tow-lines; I sincerely hope there are. But I have not met with them [4].

This tow-line I had taken in [5] myself just before we had got to the lock. I would not let Harris touch it, because he is careless. I had looped it round slowly and cautiously, and tied it up in the middle, and folded it in two, and laid [6] it down gently at the bottom of the boat. Harris had lifted it up scientifically, and had put it into George's hand. George had taken it firmly and held it away from him, and had begun to unravel [7] it as if he were taking the swaddling [8] clothes off a new-born infant; and, before he had unwound [9] a dozen yards, the thing was more like a badly made doormat than anything else.

It is always the same, and the same sort of thing always goes on in connexion [10] with it. The man on the bank, who is trying to disentangle it, thinks all the fault lies [11] with the man who rolled it up; and when a man up the river thinks a thing, he says it.

---

1. sous-entendu : **« any honourable exception. »**

2. m. à m. *essayent de se nouer.*

3. **antimacassar** ['æntimə'kæsə] : *têtière* (garniture que l'on pose sur le dossier d'un fauteuil pour y poser la tête). Macassar était le nom d'une région de l'île de Célèbes où l'on fabriquait une huile qui servait de cosmétique pour les cheveux. La têtière empêchait donc les gens qui s'étaient enduits de cette huile de tacher les fauteuils.

4. **to meet with sbd :** *trouver, découvrir, qqn.*

5. **to take in :** *raccourcir.*

6. **to lay (laid, laid) down :** *poser, déposer.*

7. **to unravel :** *démêler, débrouiller, dénouer ; ≠ to ravel :* emmêler, embrouiller.

8. **swaddling clothes :** *maillot, lange ; to swaddle :* emmaillotter, langer.

C'est mon opinion sur les cordes de halage en général. Bien sûr, il peut y avoir des exceptions honorables, je ne dis pas le contraire. Il peut y avoir des cordes de halage qui fassent honneur à leur profession – des cordes consciencieuses et respectables, des cordes qui ne se prennent pas pour un ouvrage au crochet et n'essayent pas de se transformer en napperons dès qu'on les laisse seules. Il se peut que de telles cordes existent, je l'espère sincèrement. Mais je n'en ai pas encore vu.

Cette corde je l'avais moi-même démêlée juste avant que nous arrivions à l'écluse. Je ne voulais pas que Harris y touche, vu sa maladresse. Je l'avais lentement et soigneusement mise en écheveau, nouée par le milieu, repliée en deux et déposée délicatement au fond du canot. Harris l'avait soulevée avec art et l'avait passée à George. Celui-ci l'avait prise d'une main ferme et, en la tenant à bout de bras, avait commencé à la dérouler comme s'il eût démailloté un nouveau-né. Il n'en eut pas déroulé une dizaine de mètres que l'objet en question ressemblait plus à un mauvais paillasson qu'à autre chose.

C'est toujours pareil et il s'ensuit toujours le même résultat. Celui qui est sur la berge à essayer de la démêler pense que c'est entièrement la faute de celui qui l'a enroulée. Et sur la Tamise quand on pense quelque chose on le dit.

---

9. **to unwind (unwound, unwound)** : *dérouler ; ≠ to wind :* *enrouler.*
10. **connexion** = connection : *rapport, relation, lien ;* **in connexion with** : *à propos de, relativement à.*
11. **to lie, lay, lain** : *reposer, se trouver ;* **the fault lies with...** : *la faute incombe à, est imputable à...*

"What have you been trying [1] to do with it, make a fishing-net of it? You've made a nice mess you have [2]; why couldn't you wind it up properly, you silly [3] dummy [4]?" he grunts from time to time as he struggles wildly with it, and lays it out flat on the tow-path, and runs round and round [5] it, trying to find the end.

On the other hand, the man who wound it up thinks the whole cause of the muddle rests with [6] the man who is trying to unwind it.

"It was all right when you took it!" he exclaims indignantly. "Why don't you think what you are doing? You go about [7] things in such a slap-dash [8] style. You'd get a scaffolding pole [9] entangled, *you* would!"

And they feel so angry with one another that they would like to hang each other with the thing. Ten minutes go by, and the first man gives a yell and goes mad, and dances on the rope, and tries to pull it straight by seizing hold of the first piece that comes to his hand and hauling [10] at it. Of course, this only gets it into a tighter tangle than ever. Then the second man climbs out of the boat and comes to help him, and they get in each other's way [11], and hinder one another. They both get hold of the same bit of line, and pull at it in opposite directions, and wonder where it is caught. In the end, they do get it clear [12], and then turn round and find that the boat has drifted off [13], and is making straight for the weir.

---

1. on insiste à la fois sur le résultat dans le présent d'une action passée (**present perfect**) et sur la durée ou le déroulement de l'action elle-même (forme en **-ing**).
2. = **you've *really* made a nice mess.** La répétition du sujet et de l'auxiliaire en fin de phrase est appelée « tag d'insistance ». Elle appartient à la langue courante et est assez fréquente en anglais britannique. Ex. : **he likes dogs, he does.**
3. **silly :** *bête, idiot, sot.*
4. **dummy :** *mannequin, pantin ; figurant, homme de paille.*
5. m. à m. *tourne autour en courant ;* **round and round** indique qu'il fait plusieurs tours.
6. m. à m. *pense que toute la cause de la pagaïe tient à...*
7. **to go about** a ici le sens de **to tackle** *(s'attaquer à, aborder).*
8. **slap-dash :** *bâclé, fait à la va-vite, sans soin.*
9. m. à m. *poteau d'échafaudage.*

« Qu'est-ce que tu as essayé de faire avec cette corde ? Un filet de pêche ? Tu as vraiment fait un beau gâchis. Pourquoi ne l'as-tu pas enroulée convenablement, espèce d'empoté ! » grommelle-t-il de temps à autre tandis qu'il se débat comme un beau diable avec cette corde, qu'il l'étale à plat sur le chemin de halage et qu'il s'agite autour d'elle pour essayer d'en trouver le bout.

D'autre part celui qui l'a enroulée croit que tout l'enchevêtrement vient de celui qui a essayé de la dérouler.

« Tout allait bien quand tu l'as prise », s'exclame-t-il indigné. « Pourquoi ne réfléchis-tu pas à ce que tu fais ? Tu t'y prends n'importe comment. Tu réussirais même à faire des nœuds avec une perche. »

Et ils sont si en colère l'un après l'autre qu'ils voudraient bien tous deux passer l'objet du litige autour du cou de leur adversaire. Au bout de dix minutes le premier pousse un hurlement, s'énerve, trépigne sur la corde et tente de la débrouiller en saisissant le premier nœud qui lui tombe sous la main et en tirant dessus. Bien sûr il n'aboutit qu'à rendre l'enchevêtrement encore plus inextricable. Alors le deuxième sort du bateau pour venir à sa rescousse et ils se font obstacle et se gênent mutuellement. Ils s'emparent tous deux du même morceau de corde, le tirent en sens contraire et se demandent ce qui le retient. Finalement ils parviennent quand même à s'en sortir et, en se retournant, découvrent que leur bateau a dérivé et file droit vers le barrage.

---

10. **to haul** [hɔ:l] = **to pull** : *traîner, tirer ; haler* (bateau).
11. m. à m. *ils se mettent sur le passage l'un de l'autre.*
12. **clear** a le sens de *libre, dégagé, sans obstacle* : cf. **the road is clear.** Ici la corde est « *dégagée de ses nœuds* ».
13. **to drift off** = **to drift away** : *s'éloigner lentement.*

This really happened once to my own knowledge. It was up by Boveney, one rather windy morning. We were pulling down-stream [1], and, as we came round the bend, we noticed a couple of men on the bank. They were looking at each other with as [2] bewildered and helplessly miserable [3] expressions as I have ever witnessed on any human countenance [4] before or since [5], and they held a long tow-line between them. It was clear that something had happened, so we eased up [6] and asked them what was the matter.

"Why, our boat's gone off [7]!" they replied in an indignant tone. "We just got out to disentangle the tow-line, and when we looked round, it was gone!"

And they seemed hurt at what they evidently regarded as a mean and ungrateful act on the part of the boat.

We found the truant [8] for them half a mile further down, held by some rushes, and we brought it back to them. I bet they did not give that boat another chance for a week [9].

I shall never forget the picture of those two men walking up and down the bank with a tow-line, looking for their boat.

---

1. **down-stream :** *en descendant le courant, en aval.*
2. notez la construction avec le comparatif d'égalité et le nom ; cf. he is as good a pupil as I have ever seen = I have **never seen such a good pupil** (*je n'ai jamais vu un aussi bon élève*).
3. ▲ **miserable** = unhappy : *malheureux, triste.*
4. **countenance :** *visage, mine* ; cf. **out of countenance :** *décontenancé.*
5. m. à m. *auparavant ou depuis.*
6. **to ease up :** *se détendre, se reposer, dételer.*
7. **to go off** = to leave, to go away : *partir, quitter un endroit.*
8. **a truant :** un élève absent sans autorisation ; **to play truant :** *faire l'école buissonnière.*
9. m. à m. *je parie qu'ils n'ont pas donné à ce bateau une deuxième chance pendant une semaine.*

C'est à une scène analogue que j'ai une fois réellement assisté. C'était un peu en amont de Boveney, par un matin assez venteux. Nous descendions le fleuve à l'aviron quand, au détour d'un méandre, nous aperçûmes deux hommes sur la rive. Ils se regardaient avec l'air le plus médusé et le plus affligé qu'il m'ait jamais été donné de voir sur un visage et ils étaient chacun à un bout d'une corde de halage. Comme il était visible qu'il venait de se passer quelque chose, nous nous arrêtâmes de ramer pour leur demander ce qui n'allait pas.

« C'est notre bateau qui est parti », répondirent-ils avec indignation. « On est juste descendus pour démêler la corde et quand on s'est retournés, il avait disparu ! »

Et ils semblaient offusqués par ce qu'ils considéraient de toute évidence comme une action mesquine et ingrate de la part du bateau.

On rattrapa le fugitif, échoué dans les roseaux, huit cents mètres plus loin, en aval, et on le leur ramena. Je pense qu'ils l'ont ensuite eu à l'œil pendant au moins huit jours.

Je n'oublierai jamais le tableau de ces deux hommes qui arpentaient la berge avec leur corde de halage, à la recherche de leur bateau.

Extrait n° 8 (chapitre 10)

Les haleurs sont en général si insouciants qu'il est fréquent que des incidents surviennent au canot sans qu'ils s'en aperçoivent. George raconte même avoir vu un jour deux jeunes gens marcher sur un chemin de halage en traînant une corde dont le bateau s'était détaché. Il en profita pour accrocher leur propre bateau à cette corde et se faire tirer. Suit alors un passage où l'on raconte combien, après une longue journée d'aviron, les derniers kilomètres peuvent parfois sembler longs. Jérome connut pareille mésaventure au cours d'une promenade qu'il fit avec sa cousine. À sept heures et demie nos trois amis s'arrêtent pour bivouaquer.

Then we lit the lantern and squatted [1] down to supper. We wanted [2] that supper.

For five-and-thirty minutes not a sound was heard throughout the length and breadth [3] of that boat, save the clank [4] of cutlery and crockery [5], and the steady grinding of four sets of molars. At the end of five-and-thirty minutes, Harris said, "Ah!" and took his left leg out from under him and put his right one there instead.

Five minutes afterwards, George said, "Ah!" too, and threw his plate out on the bank; and, three minutes later than that, Montmorency gave the first sign of contentment he had exhibited since we had started, and rolled over on his side, and spread his legs out; and then I said, "Ah!" and bent my head back, and bumped [6] it against one of the hoops, but I did not mind it. I did not even swear.

How good one [7] feels when one is full — how satisfied with ourselves and with the world! People who have tried it, tell me that a clear conscience makes you very happy and contented; but a full stomach does the business quite as well [8], and is cheaper, and more easily obtained. One feels so forgiving and generous after a substantial and well-digested meal — so noble-minded [9], so kindly-hearted [10].

It is very strange, this domination of our intellect by our digestive organs. We cannot work, we cannot think, unless our stomach wills [11] so. It dictates [12] to us our emotions, our passions. After eggs and bacon, it says, "Work!" After beefsteak and porter [13], it says, "Sleep!" After a cup of tea (two spoonfuls for each cup, and don't let it stand [14] more than three minutes), it says to the brain,

---

1. **to squat :** *être accroupi ; être assis en tailleur ;* **down** indique un mouvement : *s'asseoir en tailleur.*
2. **want** a le sens fort de *avoir besoin, exiger.*
3. m. à m. *à travers toute la longueur et la largeur de ce bateau.*
4. **clank :** *bruit métallique ;* **to clank :** *cliqueter, faire un bruit métallique.*
5. **crockery :** *vaisselle* (tasses, sous-tasses et assiettes).
6. **to bump :** *heurter, cogner ;* **bump :** *choc, heurt, secousse.*
7. **one;** pronom impersonnel, est d'un usage plus rare que le français *on,* il s'utilise pour énoncer ce que l'on considère comme des vérités générales ou de simples généralités.
8. m. à m. *un estomac fait tout aussi bien l'affaire.*
9. **noble-minded** = *with a noble mind : à l'esprit noble.*
10. **kindly-hearted** = *with a kindly heart.* **Kindly** peut être

Alors nous allumâmes la lanterne et nous nous mîmes en tailleur pour souper.

Nous avions besoin de ce souper.

Pendant trente-cinq minutes, sur tout notre canot, on n'entendit pas d'autre bruit que le cliquetis des couteaux et de la vaisselle et le grincement incessant de quatre paires de mâchoires. Au bout de trente-cinq minutes, Harris fit « Ah » et retira sa jambe gauche de dessous lui pour l'y remplacer par la droite.

Cinq minutes après, George fit également « Ah » et jeta son assiette sur la berge. Trois autres minutes après, Montmorency manifesta son premier signe de contentement depuis notre départ, il se roula sur le flanc, les pattes étendues. C'est alors que je fis « Ah », que je renversai la tête en arrière et la heurtai à l'un des arceaux, mais peu m'importait. Je ne lâchai même pas un juron.

Comme l'on se sent bien quand on est rassasié, comme l'on est satisfait de soi et du monde ! Les gens qui ont tenté l'expérience m'affirment qu'avoir la conscience tranquille fait de vous un homme parfaitement comblé et heureux, mais avoir l'estomac plein vous rend tout pareil, et c'est meilleur marché et plus facile à obtenir. On se sent si indulgent et si généreux après un repas copieux et bien digéré – si magnanime, si compatissant.

C'est très bizarre, cette domination de notre intellect par nos organes digestifs. Nous ne pouvons travailler, nous ne pouvons penser que si notre estomac le veut bien. Il nous dicte nos émotions et nos passions. Après les œufs au bacon, il ordonne : « Travaille ! » Après un bifsteck arrosé de bière brune, il dit : « Dors ! » Après une tasse de thé (deux cuillerées par tasse et ne pas laisser infuser plus de trois minutes), il commande au cerveau :

---

adverbe *(avec bonté, gentillesse)* ou, comme ici, adjectif *(bienveillant, plein de bonté).*
11. le verbe **to will** *(vouloir)* est d'un usage assez rare et littéraire ; cf. **it is as God wills** : *c'est comme Dieu le veut.*
12. **to dictate to sbd** : *imposer sa volonté à qqn, régenter qqn.*
13. **porter**, nom utilisé en français aussi pour désigner une bière brune.
14. **to stand** : *infuser* (thé) ; *reposer* (pâte, liquide) ; cf. **let the matter stand as it is** : *laissez les choses comme elles sont.*

"Now, rise, and show your strength. Be eloquent, and deep, and tender; see, with a clear eye, into Nature and into life; spread your white wings of quivering thought, and soar, a god-like spirit, over the whirling world beneath you, up through long lanes of flaming stars [1] to the gates of eternity!"

After hot muffins [2], it says, "Be dull and soulless [3], like a beast of the field – a brainless animal with listless [4] eye, unlit by any ray of fancy [5], or of hope, or fear, or love, or life." And after brandy, taken in sufficient quantity, it says, "Now, come, fool, grin and tumble [6], that your fellow-men may laugh – drivel [7] in folly, and splutter [8] in senseless sounds, and show what a helpless ninny [9] is the poor man whose wit and will are drowned, like kittens, side by side [10], in half an inch of alcohol."

We are but the veriest [11], sorriest slaves of our stomach. Reach not [12] after morality and righteousness [13], my friends; watch vigilantly your stomach, and diet [14] it with care and judgement. Then virtue and contentment will come and reign within your heart, unsought [15] by any effort of your own; and you will be a good citizen, a loving husband, and a tender father – a noble, pious man.

Before our supper, Harris and George and I were quarrelsome [16] and snappy [17] and ill-tempered; after our supper, we sat and beamed on one another, and we beamed [18] upon the dog, too. We loved each other, we loved everybody.

---

1. m. à m. *remontant par de longs chemins d'étoiles flamboyantes.*
2. **muffin :** petit gâteau spongieux, plat et rond, que l'on fait griller et que l'on beurre pour le manger au petit déjeuner ou avec le thé.
3. notez le suffixe privatif -less dans **soulless** (= without a soul) et **brainless (without a brain).**
4. **listless :** *indifférent, indolent, amorphe, sans énergie ;* **listless-ness :** *apathie.*
5. m. à m. *que n'éclaire aucune lueur de fantaisie.*
6. **to tumble :** *faire des cabrioles (tel un acrobate).*
7. **to drivel :** *radoter.*
8. **to splutter :** *postillonner, bredouiller, bafouiller.*
9. **a ninny** (fam.) : *un nigaud, un benêt.*
10. m. à m. *côte à côte.*

« Maintenant lève-toi et montre ta force. Sois éloquent, profond et doux. Regarde la nature et la vie d'un œil lucide. Déploie les ailes blanches de ta pensée frémissante et prends ton essor, tel un esprit divin, au-dessus du tourbillon du monde, par les longs chemins d'astres flamboyants, qui mènent aux portes de l'éternité ! »

Après des petits pains tout chauds, il dit : « Sois triste et sans âme comme le bétail des champs : animal sans cervelle, l'œil vide dans lequel ne brille nulle lueur de fantaisie, ni d'espoir, ni de crainte, ni d'amour, ni de vie. » Et après du cognac, en quantité suffisante, il dit : « A présent, viens, fou, fais grimaces et cabrioles pour amuser tes frères, divague et bredouille des mots insensés et montre combien le pauvre homme dont l'esprit et la volonté sont noyés, comme deux chatons, dans une goutte d'alcool, n'est qu'une brute épaisse. »

Nous sommes les plus parfaits et les plus misérables esclaves de notre ventre. N'essayez pas d'être justes et purs, mes amis ; surveillez votre estomac avec vigilance et alimentez-le avec soin et discernement. Alors la vertu et le contentement s'installeront dans votre cœur, sans nul effort de votre part. Vous serez alors un bon citoyen, un mari affectueux et un tendre père – un homme pieux et noble.

Avant le souper, Harris et moi étions irascibles, hargneux et de mauvaise humeur ; après, nous débordions d'une bienveillance mutuelle qui rayonnait jusque sur le chien. Nous n'avions qu'amour l'un pour l'autre, amour pour tout le monde.

---

11. superlatif de l'adjectif **very** (*même*; *exact, justement*). Forme très littéraire.

12. = **do not reach.** Forme emphatique et littéraire de l'impératif.

13. **righteousness** ['raitʃəsnis] : *droiture, vertu* ; **righteous** : *vertueux, juste.*

14. **to diet** ['daiət] : *mettre au régime, alimenter* ; **a diet** : *un régime alimentaire.*

15. **unsought** : *non cherché, non sollicité* ; **to seek, sought, sought** : *chercher, rechercher.*

16. **quarrelsome** : *querelleur, mauvais coucheur* ; = **inclined to quarrel** (*enclin à se disputer*).

17. **snappy** = **snappish** : *hargneux, cassant.*

18. **to beam** : *rayonner, s'épanouir en un large sourire.*

Harris, in moving about, trod [1] on George's corn. Had this happened before supper, George would have expressed wishes and desires concerning Harris's fate [2] in this world and the next that would have made a thoughtful man shudder.

As it was, he said, "Steady [3], old man; 'ware [4] wheat [5]."

And Harris, instead of merely observing, in his most unpleasant tones, that a fellow could hardly help treading [6] on some bit of George's foot, if he had to move about at all within ten yards of where George was sitting, suggesting that George never ought to [7] come into an ordinary sized boat with feet that length, and advising him to hang them over the side, as he would have done before supper, now said: "Oh, I'm sorry, old chap; I hope I haven't hurt you."

And George said, "Not at all"; that it was his fault; and Harris said no, it was his.

It was quite pretty [8] to hear them.

We lit our pipes, and sat, looking out on [9] the quiet night, and talked.

---

1. **to tread** [tred], **trod, trodden** : *poser les pieds, marcher.*
2. m. à m. *concernant le destin de Harris.*
3. **steady !** (fam.) : *doucement, du calme !*
4. = **beware** : *attention, prenez garde ;* cf. **beware of the dog** : *attention, chien méchant.*
5. **wheat** [wet] : *blé,* est utilisé ici par plaisanterie à la place de **corn** qui peut aussi avoir ce sens mais également celui (comme ici) de *cor au pied.*
6. m. à m. *pouvait difficilement s'empêcher de marcher.*
7. **ought to** a le même sens que **should** qui exprime cependant une opinion plus subjective. L'adverbe de fréquence ne peut venir séparer **to** du verbe et précède donc toujours **ought to** alors qu'il s'insère entre **should** et le verbe ; **he never ought to come** = **he should never come.**
8. **pretty** : a ici le sens de *plaisant à l'oreille.*
9. **to look out on** = to look onto : *avoir vue sur.*

Harris, en se déplaçant, marcha sur le cor au pied de George. Si cela s'était passé avant le souper George aurait formulé, quant à l'avenir de Harris en ce monde et en l'autre, des vœux à faire frémir un homme réfléchi.

Mais là, il se contenta de dire :

« Doucement, vieux, attention à mes oignons. »

Et Harris, au lieu de faire remarquer simplement, de son ton le plus désagréable, qu'il était difficile d'éviter de marcher sur un bout du pied de George lorsque l'on avait à se déplacer dans un rayon de dix mètres autour de l'endroit où George était assis, sous-entendant que George n'aurait jamais dû monter dans un canot de taille normale avec des pieds de cette longueur et lui conseillant de les laisser pendre par-dessus bord – comme il l'eût fait avant le souper –, répondit à présent :

« Ah, je suis désolé, mon vieux. J'espère que je ne t'ai pas fait mal. »

Et George répliqua : « Pas du tout », ajoutant que c'était sa faute. Et Harris reprit que non, c'était la sienne.

C'était touchant de les entendre.

On alluma les pipes et l'on resta à bavarder en contemplant la nuit paisible.

George raconte qu'un jour son père avait dû partager une chambre avec un ami et, comme tous deux avaient bien bu et que la bougie s'était éteinte, ils se couchèrent, sans s'en rendre compte, en sens inverse dans le même lit. Pensant, tous deux, qu'il y avait quelqu'un dans le lit, ils décidèrent de le flanquer dehors et se retrouvèrent par terre l'un et l'autre. Jérome a du mal à s'endormir, puis il se réveille et trouve l'air si irrespirable qu'il se lève pour prendre le frais sur la berge. Là, il contemple la nuit dont il chante les louanges.

I woke at six the next morning; and found George awake too. We both turned round, and tried to go to sleep again, but we could not. Had there been any [1] particular reason why we should *not* have gone to sleep again, but have got up and dressed then and there, we should have dropped off [2] while we were looking at our watches, and have slept till ten. As there was no earthly necessity [3] for our getting up under [4] another two hours at the very least [5], and our getting up at that time was an utter absurdity, it was only in keeping with the natural cussedness [6] of things in general that we should both feel that lying down for five minutes more would be death to us [7].

George said that the same kind of thing, only worse, had happened to him some eighteen months ago, when he was lodging by himself [8] in the house of a certain Mrs Gippings. He said his watch went wrong one evening, and stopped at a quarter past eight. He did not know this at the time because, for some reason or other, he forgot to wind it up when he went to bed (an unusual occurrence [9] with him), and hung it up over his pillow without ever looking at the thing.

It was in the winter when this happened, very near the shortest day, and a week of fog into the bargain [10], so the fact that it was still very dark when George woke in the morning was no guide [11] to him as to the time. He reached up, and hauled down his watch. It was a quarter past eight.

"Angels and ministers of grace [12] defend us!" exclaimed George; "and here have I got to be in the City by nine [13]. Why didn't somebody [14] call me? Oh, this is a shame!"

---

1. dans des phrases exprimant une hypothèse ou une condition, on peut avoir **any** ou **some** (ici dans le sens de *une raison quelconque*).
2. **to drop off** : *sombrer dans un sommeil léger, s'assoupir.*
3. m. à m. *pas la moindre nécessité* ; **earthly** : *terrestre.*
4. **under** = **less than** : *moins de* ; *moins de deux heures après.*
5. **at the very least** : *à tout le moins.*
6. **cussedness** ['kʌsidnis] (fam.) : *esprit de contradiction* ; cf. **out of sheer cussedness** : *uniquement pour embêter le monde.*
7. m. à m. *serait notre mort.*
8. **by himself** = **on his own** : = **alone** : *seul.*
9. **an occurrence** [ə'kʌrəns] : *événement, circonstance* ; **to occur** : *avoir lieu, survenir.*
10. m. à m. *par-dessus le marché.*

Je me réveillai le lendemain matin à six heures et trouvai George également éveillé. Nous nous retournâmes tous deux dans l'espoir de nous rendormir, mais en vain. Si, pour une raison quelconque, nous n'eussions pas dû nous rendormir et eussions dû nous lever à ce moment-là, nous serions retombés dans le sommeil en consultant nos montres et aurions dormi jusqu'à dix heures. Comme il ne nous était absolument pas nécessaire de nous lever avant au moins deux heures et qu'il était tout à fait absurde de se lever à cette heure-là, il était dans l'ordre naturellement pervers des choses que nous ayons tous deux l'impression que rester au lit cinq minutes de plus nous serait fatal.

George raconta que la même aventure, en pis, lui était arrivée il y avait quelque dix-huit mois alors qu'il logeait seul chez une certaine Mme Gippings. Il dit que sa montre se détraqua un soir et s'arrêta à huit heures et quart. Il ne s'en aperçut pas à l'époque car, pour une raison ou pour une autre, il oublia de la remonter en allant se coucher (chose qui lui était inhabituelle) et l'accrocha au-dessus de son oreiller sans jamais la regarder.

C'était en hiver que cela se passait, au moment où les jours sont les plus courts, et qui plus est, par une semaine de brouillard. De sorte que l'obscurité très profonde qui régnait encore quand il se réveilla ne donna à George aucune indication de l'heure qu'il était. Il tendit le bras et décrocha sa montre. Il était huit heures et quart.

« Que les anges et les saints du paradis nous protègent ! » s'exclama George. « Et moi qui dois être à la banque à neuf heures. Pourquoi ne m'a-t-on pas réveillé ? Ah, c'est honteux ! »

---

11. **guide :** *guide* (personne) et au sens figuré *indication* ; cf. **as a rough guide :** *en gros*.
12. m. à m. *ministres de la grâce*.
13. m. à m. *et voici que je dois me rendre*. L'adverbe placé en tête de proposition entraîne l'inversion auxiliaire sujet et rend la phrase très emphatique.
14. il utilise **somebody** et non **anybody** car il pense aux personnes précises qui auraient dû le réveiller.

And he flung [1] the watch down, and sprang out of bed, and had a cold bath, and washed [2] himself, and dressed himself, and shaved himself in cold water because there was not time to wait for the hot [3], and then rushed and had another look at the watch.

Whether [4] the shaking it had received in being thrown down on the bed had started it, or how it was, George could not say, but certain [5] it was that from a quarter past eight it had begun to go, and now pointed to twenty minutes to nine.

George snatched [6] it up, and rushed downstairs. In the sitting-room, all was dark and silent; there was no fire, no breakfast. George said it was a wicked shame of Mrs G., and he made up his mind [7] to tell her what he thought of her when he came [8] home in the evening. Then he dashed on his great-coat and hat, and, seizing his umbrella, made for [9] the front door. The door was not even unbolted [10]. George anathematized [11] Mrs G. for a lazy old woman, and thought it was very strange that people could not get up at a decent, respectable time, unlocked and unbolted the door, and ran out.

He ran hard [12] for a quarter of a mile, and at the end of that distance it began to be borne in upon him [13] as a strange and curious thing that there were so few [14] people about, and that there were no shops open. It was certainly a very dark and foggy morning, but still it seemed an unusual course to stop all business on that account [15]. *He* had to go to business; why should other people stop in bed merely because it was dark and foggy?

---

1. **to fling, flung, flung** : *lancer* (violemment) ; **down** indique le mouvement vers le bas.
2. **he washed himself** = he washed *(il se lava)*. **Wash** peut être transitif ou intransitif.
3. m. à m. *d'attendre la chaude*.
4. **whether... or...** : *soit... soit..., ou... ou...* Indique une alternative.
5. l'adjectif attribut accentué et placé devant le verbe est emphatique.
6. **to snatch** : *saisir, s'emparer* (brusquement) *de*. La particule adverbiale **up** indique le mouvement vers le haut (du lit au gousset).
7. **to make up one's mind** : *se décider*.
8. on ne peut pas avoir de **would** dans une proposition subordon-

Il jeta alors la montre sur le lit, se leva d'un bond, prit un bain froid, se lava, s'habilla et se rasa également à l'eau froide car il n'avait pas le temps d'attendre qu'elle chauffe. Puis il se précipita pour jeter un nouveau coup d'œil à sa montre.

Etait-ce la secousse qu'elle avait reçue quand il l'avait jetée sur le lit qui l'avait remise en route ou autre chose, George ne pouvait le dire, mais il était certain qu'à huit heures et quart elle avait recommencé à marcher et indiquait à présent neuf heures moins vingt.

George s'en saisit et descendit l'escalier quatre à quatre. Dans le salon régnait une obscurité et un silence absolus. Il n'y avait ni feu, ni petit déjeuner. George se dit que Mme Gippings était d'une malveillance scandaleuse et il se résolut à lui dire ce qu'il pensait d'elle quand il rentrerait le soir. Il se jeta sur son pardessus et son chapeau et, s'emparant de son parapluie, se dirigea vers la porte d'entrée. La porte n'était même pas encore déverrouillée. George traita Mme Gippings de vieille fainéante, se dit qu'il était bizarre que des gens fussent incapables de se lever à une heure décente et respectable, tourna la clef, tira le verrou de la porte et sortit en courant.

Après avoir couru à toute allure pendant quatre cents mètres il commença à lui sembler étrange et surprenant qu'il y eût si peu de gens dans les rues et qu'aucune boutique ne fût ouverte. Assurément, le temps était très couvert et le brouillard très épais ce matin-là, mais quand même cela paraissait louche qu'on ait fermé tous les commerces pour cette raison. Lui était bien obligé d'aller travailler, pourquoi est-ce que les autres resteraient au lit simplement à cause du brouillard et de l'obscurité ?

---

née de temps exprimant un futur dans le passé. **He would tell her when he came home** : *il lui dirait quand il rentrerait.*
9. **to make for** : *se diriger vers.*
10. **a bolt** : *un verrou* ; **to bolt** *(verrouiller)* ≠ **to unbolt** *(déverrouiller).*
11. **to anathematize** [ə'næθimətaiz] : *frapper d'anathème, maudire.*
12. **hard** : *avec énergie,* ici *à toutes jambes.*
13. ce verbe ne s'utilise qu'au passif ; **it was borne upon me that** : *il est apparu évident à mes yeux que.*
14. **few** *(peu de)* est toujours suivi d'un nom comptable au pluriel et indique une quantité jugée insuffisante.
15. **on account of** : *à cause de* ; **on no account** : *en aucun cas.*

At length he reached Holborn[1]. Not a shutter was down! Not a bus was about! There were three men in sight, one of whom[2] was a policeman; a market-cart[3] full of cabbages, and a dilapidated[4]-looking cab. George pulled out his watch and looked at it; it was five minutes to nine! He stood still and counted his pulse. He stooped down[5] and felt his legs. Then, with his watch still in his hand, he went up to the policeman, and asked him if he knew what time it was.

"What's the time?" said the man, eyeing George up and down with evident suspicion; "why, if you listen you will hear it strike[6]."

George listened, and a neighbouring clock immediately obliged[7].

« But it's only gone three[8]!" said George in an injured tone, when it had finished.

"Well, how many did you want it to go?" replied the constable.

"Why, nine", said George, showing his watch.

"Do you know where you live?" said the guardian of public order severely.

George thought, and gave the address.

"Oh! That's where it is, is it?" replied the man. "Well, you take my advice[9] and go there quietly, and take that watch of yours[10] with you; and don't let's[11] have any more of it."

And George went home again, musing[12] as he walked along, and let himself in[13].

---

1. nom d'une rue de Londres, qui arrive au nord-ouest de la « Cité ».
2. *dont un ;* = **one of the three men**.
3. **cart :** *charrette* (tirée par un cheval) ou *voiture à bras.*
4. **dilapidated** [di'læpideitid] : *délabré.*
5. **to stoop down :** *se baisser, se pencher, se courber.*
6. l'utilisation d'un infinitif sans **to** après un verbe de perception indique que l'action a été perçue en entier. Si elle est perçue dans son déroulement, on le fait suivre d'un gérondif.
7. **to oblige :** *rendre service.*
8. m. à m. *on vient seulement de passer trois heures.*
9. **advice** (nom collectif) : *les conseils ; un conseil :* **a piece of advice. To take advice from sbd :** *prendre conseil de qqn.*
10. m. à m. *cette montre qui est la vôtre.*
11. il y a à la 1re personne de l'impératif deux formes négatives :

Il arriva enfin dans Holborn. Pas un volet n'était ouvert ! Pas un omnibus ne circulait ! On apercevait trois hommes, dont un policier, une charrette de maraîcher pleine de choux et un fiacre à l'air délabré. George tira sa montre et la consulta ; il était neuf heures moins cinq ! Il s'arrêta pour se tâter le pouls. Il se pencha pour se tâter les jambes. Puis, tenant toujours sa montre à la main, il s'approcha du policier et lui demanda s'il savait l'heure qu'il était.

« Quelle heure il est ? » dit l'agent en toisant George avec une méfiance évidente. « Eh bien, il vous suffit d'écouter, vous entendrez sonner. »

George écouta et une horloge du voisinage le renseigna immédiatement.

« Mais elle n'a sonné que trois coups ! » s'écria George d'un ton offusqué, quand elle eut fini.

« Eh bien, combien vouliez-vous qu'elle en sonne ? » répliqua l'agent.

« Ben, neuf », dit George en lui présentant sa montre.

« Savez-vous où vous habitez ? » fit gardien de l'ordre public, d'un ton sévère.

George réfléchit et donna son adresse.

« Ah vraiment c'est là, dites-vous ? » reprit l'agent. « Et bien, suivez-mon conseil, retournez-y tranquillement et emportez votre montre. Et qu'on n'en parle plus. »

Et George repartit chez lui, tout songeur, et rentra dans sa chambre.

---

let us not et **don't let us** ; la première est d'un niveau de langue supérieur à la seconde qui s'emploie surtout dans la langue parlée.
12. **to muse** : *méditer, songer, réfléchir.*
13. m. à m. *s'ouvrit la porte.* **To let sbd in** : *faire entrer qqn, ouvrir la porte à qqn.*

At first, when he got in, he determined to undress and go to bed again; but when he thought of the re-dressing [1] and re-washing, and the having of another bath [2], he determined he would not, but would sit up and go to sleep in the easy-chair.

But he could not get to sleep; he never felt more wakeful [3] in his life; so he lit the lamp and got out the chess-board and played himself a game of chess [4]. But even that did not enliven [5] him: it seemed slow somehow [6]; so he gave chess up and tried to read. He did not seem able to take any sort of interest in reading either, so he put on his coat again and went out for a walk.

It was horribly lonesome and dismal [7], and all the policemen he met regarded him with undisguised suspicion, and turned their lanterns on him and followed him about, and this had such an effect upon him at last that he began to feel as if he really had done something, and he got to [8] slinking [9] down the by-streets [10] and hiding in dark doorways [11] when he heard the regulation [12] flip-flop [13] approaching.

Of course, this conduct made the force only more distrustful of him than ever, and they would come and rout [14] him out and ask him what he was doing there; and when he answered Nothing, he had merely come out for a stroll [15] (it was then four o'clock in the morning), they looked as though they did not believe him, and two plain-clothes [16] constables came home with him to see if he really did [17] live where he had said he did. They saw him go in with his key, and then they took up a position opposite and watched his house.

---

1. le préfixe **re** qui signifie à *nouveau* **(again)** permet de créer de nouveaux verbes, comme ici to **re-dress** (= **to dress again)**, sur le modèle de **re-examine** *(réexaminer)*, **reinvest** *(réinvestir)*, **reopen** *(rouvrir)*, etc.
2. remarquez la nominalisation de **to have another bath** : **the having of another bath** *(le fait de prendre un autre bain)*.
3. **wakeful = awake** : *éveillé, qui ne dort pas.*
4. m. à m. *se joua une partie d'échecs ;* c.à.d. : il joue avec lui-même.
5. **to enliven** [in'laivn] **:** *égayer.*
6. m. à m. *cela lui sembla un peu long.*
7. m. à m. *c'était horriblement désert et lugubre.*
8. **to get to doing sth =** to get doing sth : *se mettre à faire qqch.*

Une fois chez lui, il se décida à se déshabiller et à se remettre au lit. Mais à l'idée de devoir se rhabiller, se relaver et reprendre un bain, il y renonça et décida de rester assis et d'aller dormir dans le fauteuil.

Mais il ne réussit pas à s'endormir ; il ne s'était jamais senti aussi éveillé de sa vie. Aussi alluma-t-il la lampe, sortit-il l'échiquier et se mit-il à jouer aux échecs. Mais même cela ne le dérida pas, le temps lui parut un peu long et il abandonna les échecs pour essayer de lire. Il ne parut pas capable non plus de prendre un quelconque intérêt à la lecture, aussi remit-il son manteau et sortit-il se promener.

Les rues étaient effroyablement désertes et lugubres et tous les policiers qu'il rencontrait le considéraient avec une méfiance non dissimulée. Ils tournaient leur lanterne vers lui et le suivaient du regard. Et cela avait un tel effet sur lui qu'à la fin il commença à avoir l'impression d'avoir vraiment fait quelque chose de mal. Il prit honteusement les petites rues, en se dissimulant dans l'ombre des portes quand il entendait s'approcher le pas cadencé de la maréchaussée.

Bien sûr, cette conduite rendait les agents de la force publique encore plus soupçonneux et ils venaient le déloger et lui demander ce qu'il faisait là. Et lorsqu'il leur répondait « Rien », ajoutant qu'il était simplement sorti faire un tour (il était à présent quatre heures du matin), ils le regardaient comme s'ils ne le croyaient pas. Deux policiers en civil le raccompagnèrent chez lui pour voir s'il habitait vraiment là où il leur avait dit. Après l'avoir vu rentrer avec sa clef, ils allèrent se poster sur le trottoir d'en face et surveillèrent la maison.

---

9. **to slink, slunk, slunk** : *se déplacer furtivement* ou *honteusement*.
10. **a by-street** : *rue écartée, ruelle*.
11. **a doorway** : *un encadrement de porte*.
12. **regulation** : *réglementation*.
13. **flip-flop** = flip-flap : *flic-flac*, s'utilise aussi comme verbe : **to flip-flop** : *faire flic ≠ flac* ; **flip-flops** : *tongs*.
14. **to rout** [raut] **out** : *déloger, dénicher* ; **to rout** : *mettre en déroute* ; **a rout** : *une déroute, une débandade*.
15. **a stroll** : *une petite promenade* ; **to stroll** : *flâner*.
16. **in plain clothes** : *en civil* (= *out of uniform*).
17. m. à m. *s'il était absolument vrai qu'il habite*.

He thought he would light a fire when he got inside, and make himself some breakfast, just to pass away the time; but he did not seem able to handle anything from a scuttleful [1] of coals to a teaspoon without dropping it or falling over it, and making such a noise that he was in mortal fear that it would wake Mrs G. up, and that she would think it was burglars and open the window and call "Police!" and then these two detectives would rush in and handcuff him, and march him off [2] to the police-court.

He was in a morbidly [3] nervous state by this time, and he pictured [4] the trial, and his trying to explain the circumstances to the jury, and nobody believing him, and his being sentenced [5] to twenty years' penal servitude, and his mother dying of a broken heart [6]. So he gave up trying to get breakfast, and wrapped himself up in his overcoat, and sat in the easy-chair till Mrs G. came down at half past seven.

He said he had never got [7] up too early since that morning; it had been such a warning [8] to him.

---

1. **scuttleful** est formé sur le mot **scuttle** *(seau à charbon)* et indique le contenu de l'objet, de la même façon que **spoonful** *(cuillerée)*, **bucketful** *(seau)*, etc.

2. **to march sbd off** : *emmener qqn de force*.

3. **morbidly** : *morbidement, maladivement*.

4. **to picture (to oneself)** : *s'imaginer, se figurer, se représenter (qqch)*.

5. **to sentence** : *prononcer une condamnation* ; cf. **to sentence sbd to ten years** : *condamner qqn à dix ans de prison*. On ne peut pas, dans ce cas, utiliser le verbe **to condemn** qui signifie *interdire, punir, blâmer* ; ex. **the law condemns the use of drugs** : la loi condamne l'usage des stupéfiants.

Il pensait allumer un feu quand il serait rentré et se faire un petit déjeuner, juste pour passer le temps, mais il se montra incapable de manipuler quoi que ce soit, aussi bien un seau à charbon qu'une petite cuillère, sans le laisser tomber ou trébucher dessus et faire ainsi tant de bruit qu'il avait une peur terrible que Mme Gippings ne se réveille, ne pense que c'était des cambrioleurs, n'ouvre la fenêtre et n'appelle la police, et qu'alors les deux détectives ne se précipitent pour venir lui mettre les menottes et ne l'embarquent pour le tribunal de police.

Il était à ce moment-là dans un état de nervosité morbide et il voyait déjà son procès et s'imaginait comment il essayerait de justifier ce qui s'était passé, auprès du jury, que personne ne le croirait, qu'il serait condamné à vingt ans de réclusion criminelle et que sa mère mourrait de chagrin. C'est pourquoi il renonça à se préparer un petit déjeuner, s'enveloppa dans son pardessus et s'assit dans le fauteuil jusqu'à ce que Mme Gippings descendît à sept heures et quart.

Il déclara que, depuis ce matin-là, il ne s'était plus jamais levé trop tôt et que cela lui avait bien servi de leçon.

---

6. m. à m. *un cœur brisé*.
7. le **past perfect** est rendu nécessaire par la concordance des temps du style indirect ; cf. **he said : « I have never got too early since that morning. »**
8. **a warning** ['wɔ:niŋ] : *un avertissement*.

Extrait n° 10 (chapitre 13)

    Au matin, aucun des trois compagnons ne se sent le cœur de se baigner dans l'eau froide et Jérome, qui est descendu sur la rive pour s'asperger un peu, tombe en voulant remonter sur le bateau. Il fait cependant le fanfaron en prétendant avoir plongé volontairement. Puis, en voulant s'habiller, il fait tomber dans l'eau une chemise qu'il croit être la sienne, ce qui déclenche l'hilarité de George jusqu'à ce que ce dernier s'aperçoive qu'il s'agit, en fait, de sa propre chemise. Harris se propose alors de faire des œufs brouillés, mais il ne parvient à obtenir qu'un petit tas carbonisé. Le paysage rappelle au narrateur la signature de la Grande Charte par le roi Jean en 1215, qui eut lieu sur cette petite île de la Tamise près de laquelle ils se trouvent, et il imagine l'événement avec force détails. Il y a aussi dans les environs les ruines d'un prieuré où l'on dit qu'Henry VIII et Anne Boleyn se donnaient rendez-vous. Cela donne l'occasion au narrateur de dire combien il est déplaisant d'être dans la même maison qu'un couple d'amoureux, car on ne peut aller nulle part sans les surprendre et en être très embarrassé. En passant à Datchet, George et Jérome se souviennent que c'est là qu'un jour où Jérome, très exigeant, cherchait un hôtel avec du chèvrefeuille, ils avaient dû, faute d'en avoir trouvé, et après d'infructueuses recherches auprès des auberges de l'endroit, se contenter de dormir à trois dans deux lits minuscules d'une petite chaumière. Au déjeuner, ils ne peuvent manger leur ananas en conserve car ils ne retrouvent plus l'ouvre-boîtes. Ils se battent avec la boîte pour l'ouvrir mais n'y gagnent que colère, frayeur et blessures avant de la jeter, de dépit, dans le fleuve. Puis, comme la brise s'est levée, ils hissent la voile et prennent de la vitesse mais s'en vont percuter une barque où trois vieillards pêchaient paisiblement. Le narrateur décrit les beautés du parcours : la bourgade de Marlow, l'abbaye de Bisham et celle de Mednenham dont les moines, à la vie austère, étaient insensibles aux voix de la nature.

The only subject on which Montmorency and I have any serious difference of opinion is cats. I like cats; Montmorency does not.

When I meet a cat, I say, "Poor Pussy [1]!" and stoop down and tickle the side of its [2] head; and the cat sticks up its tail in a rigid, cast-iron [3] manner, arches its back, and wipes its nose up against my trousers; and all is gentleness and peace. When Montmorency meets a cat, the whole street knows about it; and there is enough bad language wasted in ten seconds to last an ordinary respectable man all his life, with care [4].

I do not blame the dog (contenting myself, as a rule, with merely clouting [5] his head or throwing stones at him), because I take [6] it that it is his nature. Fox-terriers are born with about four times as much [7] original sin in them as other dogs are, and it will take years and years of patient effort on the part of us Christians to bring about [8] any appreciable reformation in the rowdiness of the fox-terrier nature.

I remember being in the lobby of the Haymarket [9] Stores one day, and all round about me were dogs, waiting for the return of their owners, who were shopping inside. There were a mastiff [10], and one or two collies, and a St Bernard, a few retrievers [11] and Newfoundlands, a boarhound [12], a French poodle, with plenty of hair round its head, but mangy about the middle; a bulldog, a few Lowther Arcade sort of animals, about the size of rats, and a couple of Yorkshire tykes [13].

---

1. **pussy** = pussy-cat, nom familier et du langage enfantin.
2. on utilise le neutre pour les animaux, sauf s'ils sont familiers et que l'on connaît leur sexe.
3. **cast-iron :** *fonte de fer*, a, au figuré, le sens de *rigide, de fer* ; cf. **cast-iron discipline** : *discipline de fer* ; **to cast, cast, cast** : *fondre* (du métal).
4. *avec soin, avec ménagement.*
5. **to clout** [klaut] **sbd's head/sbd on (over) the head** (fam.) : *flanquer une taloche à qqn.*
6. **take** a ici le sens d'*accepter comme vrai, considérer.*
7. Δ pour quatre fois plus, on dit **four times as much** (pour une quantité non dénombrable) et **four times as many** (quantité dénombrable).

L'unique divergence d'opinion qu'il y ait entre Montmorency et moi concerne les chats. J'aime les chats ; Montmorency non.

Quand je rencontre un chat, je dis : « Pauvre minou ! » et je me baisse pour lui chatouiller le menton. Le chat alors dresse la queue, droite comme un i, courbe l'échine et frotte son museau sur mon pantalon, en toute docilité et en toute sérénité. Quand Montmorency rencontre un chat, toute la rue est au courant ; et il se gaspille en dix secondes autant de gros mots qu'en utilise normalement un homme respectable durant toute sa vie.

Je ne blâme pas le chien (me contentant, en général, de lui donner un coup sur la tête ou de lui lancer des pierres), car je considère que c'est dans sa nature. Les fox-terriers naissent chargés d'un péché originel quatre fois plus lourd que les autres chiens et il nous faudra, à nous chrétiens, des années et des années de patients efforts pour amener un changement de conduite notable chez un fox-terrier, qui est naturellement turbulent.

Je me souviens qu'une fois, dans la salle de consigne des grands magasins de Haymarket, il y avait de nombreux chiens attendant le retour de leurs propriétaires, partis faire leurs courses à l'intérieur. Il y avait un dogue, un ou deux colleys, un saint-bernard, plusieurs setters et terre-neuves, un limier, un caniche qui avait plein de poils sur la tête mais le dos pelé, un bouledogue, quelques-unes de ces bestioles qu'on vend au Passage Lowther et qui ont à peu près la taille d'un rat et un couple de yorkshires.

---

8. **to bring about :** *amener, occasionner ;* cf. **to bring about s.o.'s ruin :** *entraîner la ruine de qqn.*
9. Haymarket est une rue du centre de Londres, qui débouche sur Piccadilly Circus.
10. **mastiff** vient du français *mâtin* et désigne un type de chien puissant, à grosse tête, avec des oreilles et des babines pendantes, que l'on utilise comme chien de garde.
11. **to retrieve :** *rapporter* (le gibier) ; **a retriever :** *un chien rapporteur.*
12. **wild boar :** *sanglier ;* **boar-hound :** *vautre* (chien de chasse que l'on utilise pour la chasse au sanglier).
13. le mot **tyke** sert à désigner, assez péjorativement, un chien *(cabot)* et c'est aussi le surnom que l'on donne aux habitants du Yorkshire.

There they sat, patient, good, and thoughtful. A solemn [1] peacefulness seemed to reign in that lobby [2]. An air of calmness [3] and resignation — of gentle sadness pervaded the room.

Then a sweet young lady entered, leading a meek [4]-looking little fox-terrier, and left him, chained up there, between the bulldog and the poodle. He sat and looked about him for [5] a minute. Then he cast up [6] his eyes to the ceiling, and seemed, judging from his expression, to be thinking of his mother. Then he yawned. Then he looked round at the other dogs, all silent, grave, and dignified.

He looked at the bulldog, sleeping dreamlessly on his right. He looked at the poodle, erect and haughty, on his left. Then, without a word of warning [7], without the shadow of a provocation [8], he bit that poodle's near fore-leg [9], and a yelp of agony rang through the quiet shades of that lobby.

The result of his first experiment seemed highly satisfactory to him, and he determined [10] to go on and make things lively all round. He sprang over the poodle and vigorously attacked a collie, and the collie woke up, and immediately commenced a fierce and noisy contest [11] with the poodle. Then Foxey [12] came back to his own place, and caught the bulldog by the ear, and tried to throw him away; and the bulldog, a curiously impartial animal, went for [13] everything he could reach, including the hall-porter [14], which gave that dear little terrier the opportunity to enjoy an uninterrupted fight of his own [15] with an equally willing [16] Yorkshire tyke.

---

1. △ à la prononciation de **solemn** ['sɔləm].
2. **lobby :** *couloir* utilisé souvent comme antichambre ou salle d'attente.
3. notez comment le suffixe -**ness** sert à transformer les adjectifs en noms ; cf. **calm → calmness** ; **peaceful → peacefulness** ; **sad → sadness**, etc.
4. **meek :** *doux, humble, résigné* ; **meek as a lamb :** *doux comme un agneau.*
5. **for** a avec un verbe au prétérit le sens de *pendant* et avec un verbe au **present** ou **past perfect** celui de *depuis.*
6. **to cast an eye/a glance at sbd :** *jeter un coup d'œil/un regard à qqn* → **to cast up one's eyes :** *lever les yeux au ciel.*
7. m. à m. *une parole d'avertissement.*
8. m. à m. *sans l'ombre d'une provocation.*

Ils étaient tous assis là, patients, gentils et sérieux. Un calme solennel semblait régner dans ce lieu. La salle baignait dans la quiétude et la résignation, dans une tristesse paisible.

C'est alors qu'entra une charmante jeune dame qui tenait en laisse un petit fox-terrier à l'air très doux. Elle l'attacha là, entre le bouledogue et le caniche. Il resta une minute assis à regarder autour de lui. Puis il leva les yeux au plafond et parut, à en juger par son expression, penser à sa mère. Il se mit à bâiller. Puis il promena le regard sur les autres chiens, qui étaient tous silencieux, sages et dignes.

Il regarda le bouledogue qui dormait lourdement à sa droite. Il regarda le caniche, dressé fièrement à sa gauche. Alors, sans crier gare et sans la moindre provocation, il mordit la patte avant du caniche, qui se trouvait la plus proche de lui, et un hurlement de douleur retentit dans l'ombre calme de la salle d'attente.

Comme cette première expérience lui sembla tout à fait concluante, il se mit en devoir de continuer à répandre l'animation autour de lui. Il sauta au-dessus du caniche et s'attaqua vigoureusement à un colley ; ce dernier se réveilla et entama une lutte féroce et bruyante avec le caniche. Puis le fox retourna à sa place, attrapa le bouledogue à l'oreille et essaya de le faire valser. Le bouledogue, animal d'une curieuse impartialité, s'en prit à tout ce qui se trouvait à sa portée, y compris le gardien de la consigne, ce qui donna l'occasion à ce cher petit fox de s'adonner, de son côté, aux joies d'un combat opiniâtre avec un yorkshire, d'égale bonne volonté.

---

9. m. à m. *patte avant la plus proche de lui*.
10. **to determine to do/on doing sth :** *(se) décider à faire qqch*.
11. **contest :** *lutte, concours, épreuve*.
12. **Foxey**, nom affectueux donné au fox-terrier sur le modèle de **dog → doggy** *(toutou)*.
13. **to go for = to attack :** *tomber sur, s'élancer sur*.
14. **hall-porter :** *concierge*.
15. **his own :** le sien (qui lui est propre). On le fait précéder de **of** quand on le rapporte à un nom ; cf. **he has nothing of his own :** *il n'a rien à lui*.
16. **willing :** *de bonne volonté* ; **to be willing to do sth :** *être disposé à faire qqch*.

Anyone who knows canine nature need [1] hardly be told that, by this time, all the other dogs in the place were fighting as if their hearths and homes depended on the fray [2]. The big dogs fought each other indiscriminately; and the little dogs fought among [3] themselves, and filled up their spare time by biting the legs of the big dogs.

The whole lobby was a perfect pandemonium [4], and the din was terrific. A crowd assembled outside in the Haymarket, and asked if it was a vestry [5] meeting; or, if not, who was being murdered [6], and why? Men came with poles and ropes, and tried to separate the dogs, and the police were [7] sent for.

And in the midst [8] of the riot that sweet young lady returned, and snatched up that sweet little dog of hers (he had laid [9] the tyke up for a month, and had on the expression, now, of a new-born lamb) into her arms, and kissed him, and asked him if he was killed, and what those great nasty brutes of dogs had been doing to him; and he nestled up against her, and gazed up into her face with a look that seemed to say: "Oh, I'm so glad you've come to take me away from this disgraceful scene!"

She said that the people at the Stores had no right to allow great savage things [10] like those other dogs to be put with respectable people's dogs, and that she had a great mind [11] to summon somebody.

Such is the nature of fox-terriers; and, therefore, I do not blame Montmorency for his tendency to row with cats; but he wished [12] he had not given way to it that morning.

---

1. **need** sans **s** à la 3ᵉ personne et suivi d'un infinitif sans **to** se comporte ici comme un auxiliaire de modalité. Cette forme modale est plus rare, plus littéraire ou utilisée pour demander ou donner la permission.
2. **fray** : *bagarre, échauffourée, mêlée*.
3. **among** s'utilise quand on fait référence à un groupe dont on ne distingue pas les membres et **between** quand on voit ceux-ci comme distincts les uns des autres.
4. le *pandémonium* c'est, au sens premier, la résidence de tous les démons et, par dérivation, un lieu de violence, de vacarme et de confusion.
5. **the vestry** : *la sacristie* et, par suite, *le conseil d'administration de la paroisse*, qui se réunissait en ce lieu.
6. m. à m. *quelqu'un était en train d'être assassiné*.

Est-il besoin de dire à qui connaît la nature canine qu'à ce moment-là, tous les chiens de l'endroit se battaient comme si l'existence de leur foyer eût dépendu de l'issue de la mêlée ? Les gros chiens en décousaient les uns avec les autres, indistinctement, et les petits luttaient entre eux et occupaient leurs moments de répit à mordre les pattes des gros chiens.

La salle de consigne fut bientôt transformée en parfait pandémonium et le vacarme était terrible. Une foule se rassembla à l'extérieur de Haymarket, en se demandant s'il ne s'agissait pas d'une réunion du conseil municipal ou alors qui avait été assassiné et pourquoi. Des hommes arrivèrent avec des bâtons et des cordes pour essayer de séparer les chiens et l'on appela la police.

Et au plus fort du combat, cette charmante jeune dame revint. Elle prit vivement dans ses bras son cher petit chien (il avait mis le yorkshire sur le flanc pour un mois et avait maintenant l'air d'un agneau nouveau-né), elle l'embrassa, lui demanda s'il n'avait pas été massacré et ce que ces grandes vilaines bêtes lui avaient fait. Il se blottit contre elle et leva vers elle des yeux qui semblaient dire : « Oh, je suis si content que tu sois venu m'arracher à cette scène odieuse ! »

Elle déclara que la direction du magasin n'avait pas le droit de laisser mettre de grosses bêtes féroces, comme ces autres chiens, avec les chiens des gens comme il faut, et qu'elle avait bien envie de leur intenter un procès.

Telle est la nature des fox-terriers et, par conséquent, je ne reproche pas à Montmorency sa tendance à s'attaquer aux chats. J'aurais toutefois souhaité qu'il n'y donne pas libre cours ce matin-là.

---

7. **police** peut être repris par un pluriel dans la mesure où l'on fait référence aux policiers.
8. = in the middle.
9. **to lay up** (lit.) : *mettre couché à plat, forcer à s'aliter*.
10. le mot **thing** utilisé pour des êtres animés est très péjoratif (ils sont indignes d'être appelés « chiens »).
11. **to have a mind to do sth :** *avoir envie de faire qqch.*
12. **wish** est suivi d'un verbe au prétérit modal pour indiquer qu'on aimerait que les choses soient différentes de ce qu'elles sont. Le **past perfect** est nécessité par la concordance des temps **(wished)**.
△ **I wish he had done it** *(je regrette qu'il ne l'ait pas fait),* **I wished he had done it** *(je regrettais qu'il ne l'eût pas fait).*

We were, as I have said, returning from a dip [1], and half-way up the High Street a cat darted [2] out from one of the houses in front of us, and began to trot across the road. Montmorency gave a cry of joy – the cry of a stern [3] warrior who sees his enemy given over [4] to his hands – the sort of cry Cromwell [5] might have uttered when the Scots came down the hill – and flew [6] after his prey.

His victim was a large black Tom. I never saw a larger cat, nor a more disreputable [7]-looking cat. It had lost half its tail, one of its ears, and a fairly appreciable proportion of its nose. It was a long, sinewy [8]-looking animal. It had a calm, contented air about it [9].

Montmorency went for that poor cat at the rate of twenty miles an hour; but the cat did not hurry up – did not seem to have grasped the idea that its life was in danger. It trotted quietly on [10] until its would-be [11] assassin was within a yard [12] of it, and then it turned round and sat down in the middle of the road, and looked at Montmorency with a gentle, inquiring expression, that said:

"Yes! You want me?"

Montmorency does not lack pluck; but there was something about the look of that cat that might have chilled the heart of the boldest dog. He stopped abruptly, and looked back at Tom.

Neither [13] spoke ; but the conversation that one [14] could imagine was clearly as follows :

---

1. **to dip** : *tremper, plonger* → **to have a dip** : *faire trempette.*
2. **to dart** : *se précipiter, foncer* → **a dart** : *une fléchette.*
3. **stern** : *sévère, dur, rigoureux.*
4. **to give over (to)** : *abandonner, livrer (à).*
5. allusion sans doute à la victoire de Cromwell sur les royalistes écossais à Dunbar (1650).
6. **to fly, flew, flown** : *voler.*
7. **disreputable** : *de mauvaise réputation.*
8. **sinewy** : *musclé, nerveux ;* **sinews** : *muscle, vigueur ;* cf. money is the **sinews** of war : *l'argent est le nerf de la guerre.*
9. m. à m. *sur lui, dans sa personne.*
10. **on** est un adverbe exprimant la continuation de l'action ; cf. to **talk on, to sleep on,** etc. *(continuer à parler, à dormir).*
11. **would-be** : *prétendu, soi-disant.*
12. m. à m. *à moins d'un mètre.*

Nous revenions, comme je l'ai dit, de la baignade et nous étions à mi-chemin dans la grand-rue quand un chat jaillit d'une maison et se mit à traverser la chaussée d'un pas alerte. Montmorency poussa un cri de joie – le cri d'un rude guerrier qui voit qu'on lui livre son ennemi – le genre de cri qu'aurait pu pousser Cromwell quand les Ecossais descendirent de la colline – et s'élança sur sa proie.

Sa victime était un gros matou noir. Je n'ai jamais vu de chat plus gros ni d'apparence plus minable. Il avait perdu la moitié de sa queue, une oreille, et une assez bonne partie de son nez. C'était un animal long et d'aspect vigoureux. Il avait un air calme et satisfait.

Montmorency se rua sur ce pauvre chat à la vitesse de trente kilomètres à l'heure. Mais l'animal ne se pressa pas, ne sembla même pas avoir compris que sa vie était en danger. Il continua à trottiner tranquillement jusqu'à ce que le prétendant à son assassinat ne fût plus qu'à un mètre de lui. Il fit alors volte-face, s'assit au milieu de la rue et regarda Montmorency d'un air aimablement interrogateur qui disait : « Oui ! Vous me voulez quelque chose ? »

Montmorency ne manque pas d'audace, mais il y avait dans l'allure de ce chat de quoi glacer le cœur du plus hardi des chiens. Il s'arrêta brutalement et examina le matou.

Ni l'un ni l'autre ne parlèrent, mais telle est la conversation qui, on l'imagine clairement, aurait pu s'ensuivre :

---

13. pour exprimer l'idée de dualité, l'anglais dispose de 3 pronoms et adjectifs : **both** *(tous les deux)*, **either** *(l'un des deux)* et **neither** *(aucun des deux)*.

14. **one** est un pronom personnel indéfini qui signifie *n'importe qui* (y compris le locuteur). Il ne peut exprimer qu'une généralité et ne peut pas se référer à un individu ou groupe de gens en particulier (dont le locuteur pourrait être exclu). D'où **one never knows** *(on ne sait jamais)*, mais le passif dans des phrases du type **English is spoken here** *(on parle anglais ici)*.

THE CAT :
"Can I do anything [1] for you?"

MONTMORENCY :
"No – no, thanks."

THE CAT :
"Don't you mind speaking, if you really want anything, you know."

MONTMORENCY (*backing down the High Street*) :
"Oh, no – not at all – certainly – don't trouble [2]. I – I am afraid I've made a mistake. I thought I knew you. Sorry I disturbed you."

THE CAT :
"Not at all – quite a pleasure [3]. Sure you don't want anything, now?"

MONTMORENCY (*still [4] backing*) :
"Not at all, thanks – not at all – very kind of you. Good morning."

THE CAT :
"Good morning."

Then the cat rose [5], and continued his trot; and Montmorency, fitting [6] what he calls his tail carefully into its groove [7], came back to us, and took up an unimportant position [8] in the rear.

To this day [9], if you say the word "Cats!" to Montmorency, he will visibly shrink [10] and look up piteously at you [11], as if to say:

"Please don't."

---

1. on pourrait utiliser **something** si l'on pensait à quelque chose de particulier alors que **anything** a le sens de *quoi que ce soit.*
2. sous-entendu **don't trouble yourself!** : *ne vous tracassez pas !* ; to trouble : *déranger.*
3. sous-entendu **it is quite a pleasure for me** : *cela m'est vraiment un plaisir.*
4. **still** se place avant le verbe et indique que l'action continue alors que **again** se place après le verbe et indique que l'action recommence.
5. **to rise, rose, risen** : *se lever.*
6. **to fit** : *ajuster, adapter ;* cf. **to fit one part into another** : *emboîter une pièce dans une autre.*
7. **groove** : *rainure, creux, sillon.*
8. m. à m. *une position peu importante.*
9. m. à m. *jusqu'à ce jour.*

LE CHAT :

Puis-je faire quelque chose pour vous ?

MONTMORENCY :

Non... non merci.

LE CHAT :

Ne vous gênez surtout pas, si vous voulez quelque chose.
Dites-le.

MONTMORENCY *(reculant un peu)* :

Oh non, pas du tout... Je vous assure... Ne vous inquiétez pas.
Je... Je crois que j'ai fait erreur. Je pensais vous connaître.
Pardonnez-moi de vous avoir dérangé.

LE CHAT :

Pas du tout... c'est un plaisir pour moi. Sûr que vous ne voulez
rien ?

MONTMORENCY *(en continuant à reculer)* :

Absolument rien, merci... pas du tout... Très gentil à vous. Bonne
journée.

LE CHAT :

Bonne journée.

Alors le chat se leva et repartit. Et Montmorency, remettant soigneusement entre ses pattes ce à quoi il donne le nom de queue,
revint vers nous et se replaça modestement à l'arrière du groupe.

Depuis lors, il suffit de prononcer les mots « Un chat ! » pour voir
Montmorency se faire tout petit et vous adresser un regard piteux,
l'air de dire : « Je vous en prie, ne commencez pas ! »

---

10. **to shrink, shrank, shrunk :** *avoir un mouvement de recul, se
dérober.*
11. m. à m. *lever piteusement les yeux vers vous.*

Extrait n° 11 (chapitre 14)

Les trois compagnons font leur marché et se font escorter par les garçons des divers magasins où ils se sont rendus, qui portent leurs achats, en cortège, jusqu'au bateau. Le narrateur exprime sa haine des chaloupes à vapeur et de l'outrecuidance de ceux qui les dirigent. Il explique comment ils font pour se mettre en travers de la route de ces chaloupes et les obliger ainsi à manœuvrer et à s'arrêter, et la fureur qu'ils parviennent à déclencher. Il raconte ensuite que l'éclusier à qui ils s'étaient adressés pour demander de l'eau les a invités à prendre celle de la Tamise. C'est cette même eau qu'ils puisèrent un jour qu'ils n'en avaient plus pour préparer leur thé, avant d'apercevoir un chien crevé flottant sur le fleuve qui leur ôta toute envie de boire leur thé. Puis, alors qu'ils s'apprêtent à pique-niquer dans une prairie, Harris disparaît de leur vue en un clin d'œil, il est tout simplement tombé dans le fossé au bord duquel il était assis. Il accuse, bien entendu, ses deux compères d'avoir prémédité le coup.

George said that, as we had plenty of [1] time, it would be a splendid opportunity to try a good slap-up supper [2]. He said he would show us what could be done up the river in the way of [3] cooking, and suggested that, with the vegetables and the remains of the cold beef and general odds and ends [4], we should make an Irish stew [5].

It seemed a fascinating idea. George gathered wood and made a fire, and Harris and I started to peel [6] the potatoes. I should never have thought that peeling potatoes was such an undertaking [7]. The job turned out to be the biggest thing of its kind that I had ever been in [8]. We began cheerfully, one might almost say skittishly [9], but our lightheartedness was gone by the time the first potato was finished. The more we peeled, the more peel there seemed to be left on [10]; by the time we had got all the peel off and all the eyes out, there was no potato left – at least none [11] worth speaking of. George came and had a look at it – it was about the size of a pea-nut. He said :

"Oh, that won't do! You're wasting them. You must scrape them."

So we scraped them, and that was harder work than peeling. They are such an extraordinary shape, potatoes – all bumps and warts and hollows. We worked steadily for five-and-twenty minutes, and did four potatoes. Then we struck [12]. We said we should require the rest of the evening for scraping [13] ourselves.

I never saw such a thing as potato-scraping for making a fellow in a mess [14]. It seemed difficult to believe that the potato-scrapings in which Harris and I stood half-smothered [15], could have come off four potatoes.

---

1. **plenty of** indique une quantité considérée comme largement suffisante et peut être suivi d'un nom comptable (pluriel) ou non comptable (singulier).

2. c'est le dernier repas de la journée que l'on appelle souvent **dinner** car il est le repas principal.

3. **in the way** a ici le sens de *au point de vue* ; cf. **in some ways...** : *par certains côtés...*

4. **odds and ends :** *petits bouts* ; **(of food)** *restes.*

5. le ragoût irlandais est, en principe, à base de mouton et de pommes de terre.

6. la forme **to start to do sth** est d'un niveau de langue moins soutenu que **to start doing sth**.

7. **an undertaking :** *une entreprise.*

George dit que, comme nous avions largement le temps, ce serait une superbe occasion d'essayer de faire un bon souper. Il dit qu'il nous montrerait ce qu'on peut faire sur la Tamise en matière de cuisine et proposa qu'avec les légumes, les restes de bœuf froid et quelques rogatons, on fasse un ragoût irlandais.

L'idée nous parut séduisante. George ramassa du bois et fit un feu tandis que je m'occupais avec Harris d'éplucher les pommes de terre. Je n'aurais jamais pensé qu'éplucher les pommes de terre était une telle besogne. La tâche se révéla être d'une immensité qui m'était jusqu'alors inconnue. Nous commençâmes gaiement, on pourrait même dire gaillardement, mais la première pomme de terre épluchée, notre allégresse s'était envolée. Plus nous épluchions, plus il semblait rester de peau. Une fois enlevée toute la pelure et les « yeux » extirpés, il restait si peu de chose de la pomme de terre que ce n'était pas la peine d'en parler. George vint y jeter un coup d'œil : elle était grosse comme une cacahuète. Il dit :

« Non, ça ne va pas ! Vous les gaspillez. Il faut les gratter. »

Nous les grattâmes donc et c'était plus dur que de les éplucher. Elles ont des formes tellement extraordinaires, les pommes de terre : tout en bosses, en excroissances et en creux. Alors nous nous mîmes en grève. Nous déclarâmes qu'il nous faudrait bien tout le reste de la soirée pour nous nettoyer à notre tour.

Je ne connais rien de pire que des épluchures de pomme de terre pour salir un gars. Il paraissait difficile de croire que les épluchures dont nous étions, Harris et moi, à moitié recouverts, pussent venir de quatre pommes de terre.

---

8. m. à m. *la chose de ce genre la plus importante dans laquelle j'aie jamais été.*
9. **skittish :** *fantasque ;* **skittishly :** *d'un air* ou *d'un ton espiègle, en faisant des manières.*
10. sous-entendu « on the potato ».
11. **none** *(aucun)*, pronom correspondant à **no**, ici = **no potato.**
12. **to strike, struck, struck** = to go on strike.
13. **to scrape :** *gratter, racler, décaper.*
14. m. à m. *je n'ai jamais vu une chose telle que l'épluchage des pommes de terre pour souiller un gars.*
15. **to smother :** *étouffer, suffoquer ; recouvrir, barbouiller ;* cf. **smothered in mud :** *couvert de boue.*

It shows you what can be done with economy[1] and care.

George said it was absurd to have only four potatoes in an Irish stew, so we washed half a dozen or so more, and put them in[2] without peeling. We also put in a cabbage and about half a peck[3] of peas. George stirred it all up, and then he said that there seemed to be a lot of room to spare[4], so we overhauled[5] both the hampers, and picked out all the odds and ends and the remnants, and added them to the stew. There were half a pork pie and a bit of cold boiled bacon left, and we put them in. Then George found half a tin of potted salmon, and he emptied that into the pot.

He said that was the advantage of Irish stew: you got rid of such a lot of things. I fished out[6] a couple of eggs that had got cracked, and we put those in. George said they would thicken the gravy[7].

I forget the other ingredients, but I know nothing was wasted; and I remember that, towards the end, Montmorency, who had evinced[8] great interest in the proceedings throughout[9], strolled away with an earnest and thoughtful air, reappearing, a few minutes afterwards, with a dead water-rat in his mouth, which he evidently wished to present as his contribution to the dinner; whether in a sarcastic spirit, or with a genuine desire to assist[10], I cannot say.

We had a discussion as to[11] whether the rat should go in or not. Harris said that he thought it would be all right, mixed up[12] with the other things, and that every little[13] helped; but George stood up for[14] precedent. He said he had never heard of water-rats in Irish stew, and he would rather be on the safe side[15], and not try experiments[16].

---

1. **economy** peut avoir le sens d'*économie* (de temps ou d'argent) ou de *système économique* ; cf. **the country's economy**. Economics désigne *les sciences économiques*.

2. c.à.d. **in the stew**.

3. **a peck :** mesure de capacité utilisée surtout pour les produits non liquides et correspondant à un quart de boisseau **(bushel)** ou deux **gallons** (environ 9 litres).

4. m. à m. *en surplus, en trop*.

5. **to overhaul :** *examiner en détail, vérifier, réviser*.

6. **to fish out :** *retirer, extraire* (avec un effort).

7. **gravy** se réfère au jus de viande alors que le mot **sauce** désigne tous les autres types de sauce.

Cela montre ce que l'on peut faire si l'on est économe et méticuleux.

George dit qu'il était absurde de ne mettre que quatre pommes de terre dans un ragoût irlandais, aussi en lavâmes-nous une demi-douzaine de plus que nous jetâmes dans la marmite sans les éplucher. On y ajouta également un chou et à peu près une demi-mesure de pois. George mélangea le tout et dit alors qu'il restait encore beaucoup de place, aussi passa-t-on en revue les deux paniers d'où l'on tira divers reliefs comestibles qui furent adjoints au ragoût. On retrouva un demi-pâté de porc et un morceau de lard bouilli froid qui entrèrent dans la marmite. Puis George découvrit une demi-boîte de saumon en conserve qu'il y vida aussi.

Il dit que c'était l'avantage du ragoût irlandais : il permettait de se débarrasser de tant de choses. Je dénichai deux œufs qui étaient fêlés et on les ajouta. George dit qu'ils épaissiraient la sauce.

J'ai oublié les autres ingrédients mais je sais que rien n'a été perdu ; et je me souviens que, vers la fin, Montmorency, qui avait suivi avec grand intérêt tous nos faits et gestes, s'éloigna d'un air grave et pensif, et réapparut quelques minutes plus tard, avec dans la gueule un rat d'eau crevé, qu'il souhaitait évidemment offrir comme sa contribution au dîner. Etait-ce par esprit sarcastique ou par un authentique désir d'apporter son concours, je ne puis le dire.

On discuta pour savoir s'il fallait ou non ajouter le rat. Harris dit qu'à son avis, cela serait très bien, mélangé au reste et que le moindre petit morceau pouvait servir, mais George s'éleva-là contre, au nom de la tradition. Il déclara qu'il n'avait jamais vu que l'on mît des rats d'eau dans un ragoût irlandais et que le plus sûr pour lui était de ne pas tenter l'expérience.

---

8. **to evince** [i'vins] : *montrer, manifester ;* cf. **to evince intelligence** (*faire preuve d'intelligence*). *Evincer :* **to oust, supplant**.
9. m. à m. *la conduite des opérations tout du long.*
10. **to assist** (v. trans.) **:** *aider, prêter son assistance à.*
11. **as to = as for = as regards :** *quant à (savoir).*
12. **to mix up :** *mélanger* plusieurs choses si bien qu'on ne puisse les reconnaître.
13. **little** est ici substantif *(peu) ;* cf. **the little I know :** *le peu que je sais.*
14. **to stand up for :** *prendre parti pour, défendre.*
15. **to be on the safe side :** *par précaution, par acquit de conscience.*
16. **an experiment :** *une expérience, un essai.* Le mot **experience** désigne, s'il est non comptable, l'expérience en tant que connaissance, sagesse, et, s'il est comptable, un événement vécu ; ex. : **an unfortunate experience :** *une mésaventure.*

Harris said:

"If you never try a new thing, how can you tell what it's like? It's men such as you that hamper [1] the world's progress. Think of the man who first tried German sausage!"

It was a great success, that Irish stew [2]. I don't think I ever [3] enjoyed a meal more. There was something so fresh and piquant about it. One's palate gets so tired of the old hackneyed [4] things: here was a dish with a new flavour, with a taste like nothing else on earth.

And it was nourishing [5], too. As George said, there was good stuff in it. The peas and potatoes might [6] have been a bit softer, but we all had good teeth, so that did not matter much; and as for the gravy, it was a poem – a little too rich, perhaps, for a weak stomach, but nutritious.

We finished up with tea and cherry tart. Montmorency had a fight with the kettle during [7] tea-time, and came off a poor second [8].

Throughout the trip he had manifested great curiosity concerning the kettle. He would sit and watch it, as it boiled, with a puzzled expression, and would try and rouse [9] it every now and then growling [10] at it. When it began to splutter [11] and steam he regarded [12] it as a challenge, and would want to fight it, only, at that precise moment, someone would always dash up and bear [13] off his prey before he could get at it.

---

1. **to hamper** : *gêner, entraver*.

2. cette apposition qui relève de la langue parlée a ici valeur emphatique.

3. = **I think I never enjoyed.** La négation sur le verbe oblige à utiliser **ever** pour éviter la double négation.

4. **hackneyed** : *rebattu, usé, banal* ; cf. **a hackneyed phrase** : *une formule stéréotypée*.

5. △ à la prononciation de **nourishing** ['nʌriʃiŋ].

6. *à la rigueur, éventuellement.* **Might,** qui indique une faible éventualité, est ici très euphémistique.

7. **during** indique à quel moment l'action a eu lieu alors que **for** en précise la durée.

8. m. à m. *termina tristement deuxième.* **To come off** a, dans une langue familière, le sens de *terminer, se débrouiller* (dans une compétition, une affaire).

Harris lui répliqua :

« Si tu n'essayes jamais rien de nouveau, comment peux-tu savoir si c'est bon ou non ? Ce sont les gens comme toi qui entravent la marche du progrès. Pense à celui qui a goûté le premier la saucisse de Francfort ! »

Ce ragoût irlandais eut un franc succès. Je ne crois pas avoir jamais fait meilleure chère. Cette nourriture avait un goût si original et si relevé. Le palais se lasse des mêmes mets insipides. Ce plat offrait une saveur nouvelle, son goût était absolument différent de tout ce qui existait.

Et de plus, il était nourrissant. Comme le disait George, il avait de la consistance. Les petits pois et les pommes de terre auraient pu être un peu plus tendres, mais nous avions tous de bonnes dents, et cela n'avait donc pas beaucoup d'importance. Quant à la sauce, c'était tout un poème : peut-être un peu trop riche pour un estomac délicat, mais très nutritive.

Nous finîmes par du thé et de la tarte aux cerises. Pendant le thé, Montmorency se livra à un combat avec la bouilloire et s'inclina sans gloire.

Pendant tout le voyage il avait manifesté une grande curiosité pour la bouilloire. Il restait assis à la regarder bouillir, d'un air intrigué, et essayait de l'exciter de temps à autre par un grognement. Lorsqu'elle commençait à crachoter et à lâcher de la vapeur, il considérait cela comme une provocation et voulait se battre avec elle. Mais à ce moment précis il y avait toujours quelqu'un pour se précipiter et lui ravir sa proie avant qu'il ne se jette dessus.

---

9. **to try and do sth** = to try to do sth : *tenter de faire qqch.*
10. **to growl** [graul] : *grogner, gronder* (s'emploie aussi pour les personnes).
11. **to splutter** : *crachoter, crépiter, postillonner, bredouiller.*
12. **to regard sth as** : *considérer qqch comme, tenir qqch pour.*
13. **to bear, bore, born** : *porter* (= to carry) ; **to bear off** : *emporter, enlever* (hors de portée).

Today he determined he would be beforehand. At the first sound the kettle made, he rose, growling, and advanced towards it in a threatening attitude. It was only a little kettle, but it was full of pluck, and it up [1] and spat at him.

"Ah! would ye [2]!" growled Montmorency, showing his teeth; "I'll teach ye to cheek [3] a hard-working, respectable dog; ye miserable, long-nosed, dirty-looking scoundrel, ye. Come on!"

And he rushed at that poor little kettle, and seized it by the spout.

Then, across the evening stillness, broke a blood-curdling [4] yelp, and Montmorency left the boat, and did a constitutional three times round the island at the rate of thirty-five miles an hour, stopping every now and then [5] to bury [6] his nose in a bit of cool mud.

From [7] that day Montmorency regarded the kettle with a mixture of awe [8], suspicion, and hate. Whenever [9] he saw it he would growl and back at a rapid rate, with his tail shut down [10], and the moment it was put upon the stove he would promptly climb out of the boat, and sit on the bank, till [11] the whole tea business [12] was over [13].

---

1. **to up and do sth** (fam.) : *faire qqch avec rapidité et audace.* Up est une préposition transformée en verbe et prend donc, en général, la marque du passé ; cf. **he upped and hit him** : *il a bondi et l'a frappé.*

2. **ye = you.** Il ne s'agit pas ici du **ye** archaïque et littéraire, mais de la tentative de transcription d'une prononciation familière ou dialectale.

3. **to cheek** (fam.) : *être insolent avec, narguer ;* **cheek** : *toupet, culot ;* **cheeky** : *effronté.*

4. **blood-curdling** : *à vous figer le sang.*

5. **(every) now and then** = now and again : *de temps en temps, par moments.*

6. △ à la prononciation de **bury** ['beri].

Cette fois, il s'était promis de le devancer. Au premier bruit que fit la bouilloire, il se leva en grondant et s'avança vers elle dans une attitude menaçante. Ce n'était qu'une petite bouilloire, mais elle n'avait pas froid aux yeux et elle se rebiffa et se mit à cracher sur lui.

« Ah tu en veux, grogna Montmorency, en montrant les dents. Je vais t'apprendre à narguer un chien respectable et consciencieux, avec ton long nez misérable, sale fripouille. Viens-y donc ! »

Et il s'élança sur cette pauvre petite bouilloire qu'il saisit par le bec.

Alors, dans la paix du soir, s'éleva un hurlement effroyable et Montmorency, quittant le bateau, fit, à titre de promenade de santé, trois fois le tour de l'île à la vitesse de cinquante kilomètres à l'heure, s'arrêtant par-ci par-là pour enfouir son museau dans une flaque de boue fraîche.

A partir de ce jour, Montmorency regarda la bouilloire avec un respect mêlé de crainte, de méfiance et de haine. Du plus loin qu'il l'apercevait, il grondait et faisait vite marche arrière, la queue basse, et dès qu'on la mettait sur le réchaud, il descendait promptement du bateau et allait s'asseoir sur la berge jusqu'à ce que l'on en eût fini avec le thé.

---

7. **from** indique un point de départ (dans l'espace ou dans le temps) ; cf. **from beginning to end** : *du début à la fin.*
8. **awe** [ɔ:] **:** *effroi* mêlé de respect ou d'admiration.
9. **whenever** = **any time when** : *chaque fois que.*
10. **to shut down :** *rabattre, baisser.*
11. **till** = **until** : *jusqu'à ce que.*
12. m. à m. *toute cette affaire de thé.*
13. **over** = **finished** : *terminé, achevé.*

Après le souper, George veut jouer du banjo mais Harris l'en empêche. Par la suite, chaque fois qu'il voudra jouer, le chien se mettra à hurler et, rentré chez lui, sa logeuse, Mme Poppets, lui demandera d'arrêter dès qu'il touchera son instrument. Quand, en désespoir de cause, il ira s'exercer dehors en pleine nuit, les voisins avertiront la police pour tapage nocturne. Toutes ces tentatives avortées le décourageront. George et Jérome font une promenade digestive jusqu'à Henley et ont beaucoup de mal à leur retour, dans la nuit et sous la pluie, à retrouver leur bateau. Quand enfin ils le rejoignent, Harris leur explique qu'il a passé quatre heures à se battre héroïquement contre des cygnes qui avaient pris d'assaut leur canot, et qu'il les avait tous occis. George et Jérome s'aperçoivent que le whisky qu'ils veulent utiliser pour se faire un grog a disparu et ont le sommeil perturbé par Harris qui ne cesse de se lever pour chercher ses vêtements.

We woke late the next morning, and, at Harris's earnest [1] desire, partook [2] of a plain breakfast, with "non dainties [3]". Then we cleaned up, and put everything straight [4] (a continual labour, which was beginning to afford me a pretty clear insight into a question that had often posed [5] me – namely [6], how a woman with the work of only one house on her hands [7], manages to pass away her time), and, at about ten, set out on what we had determined should be a good day's journey [8].

We agreed that we would pull this morning, as a change from towing; and Harris thought the best arrangement would be that George and I should scull [9], and he steer [10]. I did not chime [11] in with this idea at all; I said I thought Harris would have been showing a more proper spirit [12] if he had suggested that he and George should work, and let me rest a bit. It seemed to me that I was doing more than my fair share of the work on this trip, and I was beginning to feel strongly on the subject.

It always does seem to me that I am doing more work than I should do. It is not that I object to the work, mind you; I like work; it fascinates me. I can sit and look at it for hours. I love to keep it by me; the idea of getting rid of it nearly breaks my heart.

You cannot give me too much work; to accumulate work has almost become a passion with me; my study is so full of it now that there is hardly an inch of room [13] for any more. I shall have to throw out [14] a wing soon.

---

1. **earnest** ['ə:nist] : *sérieux, sincère, fervent.*
2. **to partake (partook, partaken) of sth** : *prendre part, participer à ; to partake of a meal : prendre un repas.*
3. **dainty** : *friandise, mets délicat ; to be dainty : faire la fine bouche.*
4. **straight** : *en ordre.*
5. **to pose sbd** : *interloquer qqn, poser des questions embarrassantes à qqn.*
6. **namely** : *à savoir, c'est-à-dire ; nommément.*
7. m. à m. *le travail de seulement une maison sur les bras.*
8. ▲ **journey** ['dʒə:ni] : *voyage, trajet.*
9. **to scull** : *ramer ; peut être trans. : to scull a boat : faire avancer un bateau à la rame.*
10. **to steer** : *gouverner, conduire, diriger.*

On se leva tard, le lendemain, et à la demande expresse de Harris le petit déjeuner fut simple, sans petite douceur. Puis on nettoya, on mit tout en ordre (un travail de tous les instants, qui commençait à me permettre d'entrevoir assez nettement la réponse à la question que je m'étais souvent posée — à savoir, comment est-ce qu'une femme qui n'a à s'occuper que d'une maison réussit à passer le temps), et vers dix heures, nous nous mîmes en route avec la résolution de faire dans la journée un bon bout de chemin.

Nous convînmes de ramer ce matin-là pour nous changer du halage. Et Harris pensait que le mieux serait que George et moi prenions les avirons pendant que lui serait à la barre. Je ne me rangeai pas du tout à cet avis. Je déclarai qu'à mon sens, Harris aurait montré davantage de courage s'il avait proposé de partager le travail avec George et de me laisser me reposer. Il me semblait avoir fait plus que ma part de travail et cela commençait à m'irriter.

Il me semble toujours que je travaille plus que je ne le devrais. Ce n'est pas que le travail me fasse peur, vous savez. J'aime le travail, il me fascine. Je peux rester des heures assis à le contempler. J'aime en garder toujours près de moi. L'idée de m'en séparer me fend quasiment le cœur.

On ne saurait me donner trop de travail. L'accumuler m'est presque devenu une passion ; mon bureau en est tellement rempli qu'il est presque impossible d'en mettre davantage. Il me faudra bientôt l'agrandir.

---

11. **to chime** ['tʃaim] : *carillonner* (cloches) → **to chime in** (fam.) : *placer son mot, se mêler à la conversation.*
12. m. à m. *aurait montré un esprit plus convenable.*
13. **room** est ici non comptable et a le sens de *place* ; cf. **to take up too much room** : *prendre trop de place.*
14. **to throw (threw, thrown) out (a wing)** : *construire (une aile) en saillie* ; cf. **to throw out one's chest** : *bomber le torse.*

And I am careful of my work, too. Why, some of the work that I have by me now has been in my possession for years and years, and there isn't a finger-mark on it. I take a great pride in my work; I take it down now and then and dust it. No man keeps his work in a better state of preservation [1] than I do [2].

But, though I crave for [3] work, I still like to be fair [4]. I do not ask for more than my proper share.

But I get it without asking for it − at least, so it appears to me − and this worries me.

George says he does not think I need trouble myself on the subject. He thinks it is only my over-scrupulous nature that makes me fear I am having more than my due [5]; and that, as a matter of fact, I don't have half as much [6] as I ought [7]. But I expect he only says this to comfort me.

In a boat, I have always noticed that it is the fixed idea of each member of the crew that he is doing everything. Harris's [8] notion was, that it was he [9] alone who had been working, and that both George and I had been imposing upon him. George, on the other hand, ridiculed the idea of Harris's having done [10] anything more than eat and sleep, and had a cast-iron opinion that it was he − George himself − who had done all the labour worth speaking of.

He said he had never been out [11] with such a couple of lazy skulks [12] as Harris and I.

That amused Harris.

"Fancy [13] old George talking about work!" he laughed; "why about half an hour of it would kill him. Have you ever seen George work?" he added, turning to me.

---

1. **to preserve :** *conserver* (bâtiment, coutume, etc.).
2. après un comparatif on doit reprendre le pronom sujet, souvent accompagné de l'auxiliaire, bien que, dans la langue parlée, on utilise souvent le pronom complément ; cf. **he is taller than** I (am) et, plus fam., **he is taller than me**.
3. **to crave for/after sth :** *désirer ardemment, réclamer qqch* ; **a craving for sth :** *un besoin irrésistible de qqch.*
4. m. à m. *j'aime néanmoins être juste.*
5. **to give sbd his due :** *donner à qqn ce qui lui est dû* ; **to claim one's due :** *réclamer son dû.*
6. = **as much work.**
7. on n'est pas obligé de reprendre la préposition **to** puisqu'il n'y a pas de verbe qui suive l'auxiliaire.
8. ['hærisiz]. ∆ à la prononciation du cas possessif après les noms se terminant par un **s**.

Et je prends aussi bien soin de mon travail. Vrai, j'en ai qui est en ma possession depuis des années et des années, sans qu'il y ait dessus la moindre trace de doigt. Je suis très fier de mon travail ! Je le descends de temps en temps pour l'épousseter. Personne ne garde son travail dans un meilleur état de conservation que moi.

Mais, bien que je sois assoiffé de travail, je suis quand même honnête. Je n'en réclame pas plus que ma part.

Mais je l'obtiens sans la demander, c'est du moins ce qu'il me semble, et cela m'inquiète.

George dit, qu'à son avis, je n'ai pas lieu de m'en inquiéter. D'après lui, c'est parce que je suis de nature trop scrupuleuse que j'ai toujours peur d'en faire trop, mais qu'en réalité on ne me donne pas la moitié de ce qui m'est dû. Mais j'ai l'impression qu'il ne me dit cela que pour me consoler.

Dans un bateau, j'ai toujours remarqué que chaque membre d'équipage est obnubilé par l'idée qu'il fait tout à bord. Harris était persuadé qu'il était le seul qui eût travaillé et que George et moi abusions de sa gentillesse. George, de son côté, trouvait ridicule d'admettre qu'Harris eût fait autre chose que de manger et de dormir et il croyait, dur comme fer, que c'était lui, George en personne, qui avait effectué tout travail digne de ce nom.

Il dit qu'il n'était jamais parti avec deux pires fainéants qu'Harris et moi.

Cela amusait Harris.

« C'est la meilleure, ça, George qui parle de travail ! s'esclaffa-t-il. Quand on sait qu'il en mourrait au bout d'une demi-heure. As-tu déjà vu George travailler ? » ajouta-t-il en se tournant vers moi.

---

9. ce type de phrase clivée **(cleft sentence)** permet de mettre en valeur le sujet. Quand celui-ci est un pronom, on utilise le pronom complément en anglais courant : it was *me* that... et le pronom sujet dans une langue plus soutenue : it was I who...

10. **the idea of Harris's having done** = the idea that Harris had done.

11. **to be out** a ici le sens de *quitter l'endroit où l'on habite.*

12. **a skulk :** un *fainéant ;* **to skulk :** *fainéanter, tirer au flanc,* a aussi le sens de : 1) *se cacher, se tenir caché ;* 2) *rôder furtivement.*

13. m. à m. *figurez-vous, songez donc.*

I agreed with Harris that I never had – most [1] certainly not since we had started on this trip.

"Well, I don't see how *you* can know much about it, one way or the other", George retorted to Harris; "for I'm blest [2] if you haven't been asleep half the time. Have you ever seen Harris fully awake, except at meal-times?" asked George, addressing me.

Truth compelled [3] me to support George. Harris had been very little good [4] in the boat, so far as helping was concerned [5], from the beginning.

"Well, hang it all [6], I've done more than old J. [7], anyhow [8]", rejoined [9] Harris.

"Well, you couldn't very well have done less", added George.

"I suppose J. thinks he is the passenger", continued Harris.

And that was their gratitude to me for having brought them and their wretched [10] old boat all the way up from Kingston [11], and for having superintended and managed [12] everything for them, and taken care of them, and slaved for them. It is the way of the world [13].

We settled [14] the present difficulty by arranging that Harris and George should scull up past Reading [15], and that I should tow the boat on from there. Pulling a heavy boat against a strong stream has few attractions for me now. There was a time, long ago, when I used [16] to clamour for the hard work: now I like to give the youngsters a chance.

I notice that most of the old river hands [17] are similarly retiring, whenever there is any stiff pulling to be done.

---

1. **most** est ici un adverbe synonyme de **very** *(fort, très)*.

2. **blest = blessed** : *béni*. C'est ici une exclamation familière exprimant un étonnement incrédule ; **well I'm blest** : *ça par exemple !*

3. **to compel s.o. to do sth** : *contraindre qqn à faire qqch*.

4. m. à m. *très peu efficace*.

5. m. à m. *en ce qui concernait l'aide*.

6. **hang it all !** = **hang it !** : *zut !* Interjection exprimant l'exaspération ; cf. **hang him !** : *qu'il aille se faire pendre !*

7. ⚠ à la prononciation [dʒei]. Le J. en question n'est autre que l'auteur et narrateur Jerome.

8. m. à m. *dans tous les cas, de toute façon*.

9. **rejoin** est ici synonyme de **reply** : *répondre, répliquer*.

10. **wretched** ['retʃid] : *minable, maudit, fichu*.

11. il s'agit de Kingston-upon-Thames dans le Surrey, en face de

Je convins que cela ne m'était jamais arrivé, et sûrement pas depuis le début de notre voyage.

« Eh bien, je ne vois pas comment toi tu pourrais en savoir quelque chose d'une façon ou de l'autre, répliqua George à Harris, car le diable m'emporte si tu n'as pas dormi la moitié du temps. As-tu jamais vu Harris complètement réveillé, si ce n'est aux heures des repas ? » demanda George en s'adressant à moi.

La vérité m'obligeait à donner raison à George. Harris n'avait sur le bateau été pratiquement d'aucun secours depuis le début.

« Bah, malgré tout, j'en ai quand même fait plus que ce vieux Jérome », reprit Harris.

« Ma foi, cela aurait été difficile d'en faire moins », ajouta George.

« J'ai l'impression que Jérome se figure être simple passager », poursuivit Harris.

Voilà toute la reconnaissance qu'ils avaient envers moi pour les avoir amenés depuis Kingston, eux et leur maudit vieux bateau, les avoir dirigés, leur avoir tout organisé, avoir pris soin d'eux et m'être éreinté à leur service. Ainsi va la vie.

Nous réglâmes cette question en convenant qu'Harris et George rameraient jusque passé Reading et qu'à partir de là, c'est moi qui halerais le bateau. Ramer contre le courant dans un gros bateau a désormais peu d'attraits pour moi. Il fut une époque, il y a longtemps, où je réclamais la besogne à cor et à cri. A présent, je souhaite donner leur chance aux jeunes.

Je constate que la plupart des canotiers chevronnés de la Tamise se dérobent de la même façon, chaque fois qu'il faut souquer dur.

Hampton Court. La ville doit son nom au fait que les rois saxons y furent couronnés de 902 à 978.
12. **to manage** a ici le sens de **to deal with** *(s'occuper de, arranger)*.
13. m. à m. *la façon dont va le monde.*
14. **to settle** : *résoudre, régler* ; cf. **that settles it** : *comme ça le problème est réglé.*
15. **Reading** ['rediŋ] : *ville du sud de l'Angleterre, sur la Tamise.*
16. **used to,** qui indique une habitude dans le passé, qui n'existe plus dans le présent, ne peut s'employer quand on précise combien de fois une action a eu lieu ou combien de temps elle a duré.
17. **hand :** *travailleur, homme d'équipage.*

You can always tell the old river hand by the way in which he stretches himself out upon the cushions at the bottom of the boat, and encourages the rowers by telling them anecdotes about the marvellous feats [1] he performed last season.

"Call what you're doing hard work?" he drawls, between his contented whiffs, addressing the two perspiring novices, who have been grinding away [2] steadily up-stream for the last hour and a half; "why, Jim Biffles and Jack and I, last season, pulled up from Marlow [3] to Goring [4] in one afternoon – never stopped once. Do you remember that, Jack?"

Jack, who has made himself a bed, in the prow, of all the rugs and coats he can collect, and who has been lying there asleep for the last two [5] hours, partially wakes up on [6] being thus appealed to, and recollects [7] all about the matter, and also remembers that there was an unusually strong stream against them all the way – likewise [8] a stiff wind.

"About thirty-four miles, I suppose, it must have been", adds the first speaker, reaching down [9] another cushion to put under his head.

"No – no; don't exaggerate, Tom", murmurs Jack, reprovingly [10]; "thirty-three at the outside [11]."

And Jack and Tom, quite exhausted by this conversational effort, drop off to sleep once more. And the two simple-minded [12] youngsters at the sculls feel quite proud of being allowed to row [13] such wonderful oarsmen as Jack and Tom, and strain away [14] harder than ever.

---

1. **feat** [fi:t] : *exploit, prouesse*.
2. **to grind away** (fam.) : *travailler dur, bûcher ; **grind** : travail pénible, corvée ;* cf. **the daily grind** : *le labeur quotidien*.
3. ville sur la Tamise, située au nord-est et en aval de Reading.
4. ville sur la Tamise, située à l'ouest et en amont de Reading.
5. Δ à la place des adjectifs ; ex. : **the first three kilometres** : *les trois premiers kilomètres*.
6. **on** a ici le sens de **at the time when** : *au moment où* ; cf. **on the death of his father** : *à la mort de son père* ; **on reading this** : *en lisant cela*.
7. **to recollect** : *se rappeler* (sous-entend un effort de mémoire).
8. **likewise** a ici le sens de **moreover** *(de plus, en outre)*.
9. **to reach** : *étendre le bras* ; **down** indique que le coussin se trouve plus bas que la personne qui le prend.
10. **to reprove** : *blâmer, réprouver*.

On reconnaît toujours le briscard à la manière dont il s'étire sur les coussins au fond du bateau et dont il stimule les rameurs en leur racontant des anecdotes sur les hauts faits qu'il a accompli la saison précédente.

« Vous appelez ce que vous faites un travail pénible ? » dit-il d'une voix traînante, entre deux bouffées de pipe satisfaites, en s'adressant aux deux novices qui suent sang et eau contre le courant depuis une heure et demie. « Eh bien la saison dernière, Jim Biffles, Jack et moi, sommes remontés de Marlow à Goring à l'aviron, en un après-midi — sans nous arrêter une seule fois. Tu te rappelles, Jack ? »

Jack qui s'est installé un lit à l'avant du canot, avec toutes les couvertures et les manteaux qu'il a pu rassembler et qui a passé là les deux dernières heures à dormir, s'éveille à moitié à cet appel et se remémore toute l'histoire. Il se souvient aussi qu'ils ont eu, tout du long, un fort courant contraire et, qui plus est, un vent debout.

« Cela faisait bien à peu près cinquante-quatre kilomètres », ajoute le premier, en attrapant un autre coussin pour le glisser sous sa tête.

« Non, non, n'exagère pas, Tom », murmure Jack d'un ton de reproche. « Cinquante tout au plus. »

Alors Jack et Tom, complètement épuisés par cet effort de conversation, sombrent à nouveau dans le sommeil. Et les deux jeunes nigauds aux avirons sont très fiers qu'on leur ait permis de ramer pour deux tireurs d'avirons aussi formidables que Jack et Tom et tirent plus fort que jamais.

---

11. **at the outside** = **at the utmost** : *au maximum, tout au plus.*
12. **simple-minded** (adj.) : *simple d'esprit.*
13. **to row sbd** : *transporter qqn en canot.*
14. **to strain to do sth** : *peiner pour faire qqch ;* **away** indique l'aspect continu de l'effort.

When I was a young man, I used to listen to these tales from my elders, and take them in [1], and swallow [2] them, and digest every word of them [3], and then come up for more; but the new generation do not seem to have the simple faith of the old times. We – George, Harris, and myself – took a "raw'un [4]" up with us once last season, and we plied [5] him with the customary stretchers [6] about the wonderful things we had done all the way up.

We gave him all the regular ones [7] – the time-honoured lies that have done duty [8] up the river with every boatingman for years past – and added seven entirely original ones that we had invented for ourselves, including a really quite likely story, founded, to a certain extent, on an all but true [9] episode, which had actually happened in a modified degree some years ago to friends of ours – a story that a mere child could have believed without injuring [10] itself [11] much.

And that young man mocked [12] at them all, and wanted us to repeat the feats then and there, and to bet us ten to one that we didn't [13].

---

1. **to take in** : *absorber, ingurgiter.*
2. m. à m. *les avalais.*
3. m. à m. *digérais chacune de leurs paroles.*
4. = **a raw one** : *un bleu* ; **raw** : *inexpérimenté, non aguerri.*
5. **to ply sbd with sth** : *importuner qqn avec qqch* ; cf. **to ply sbd with questions** : *presser qqn de questions.*
6. **stretcher** (fam.) : *histoire difficile à avaler.*
7. *les habituelles.*
8. m. à m. *qui remplissent leur office.*
9. m. à m. *tout sauf vrai* ; **but** = **except** : *sauf.*
10. ▲ **to injure** ['indʒə] : *blesser, offenser* ; *injurier* : **to abuse, to insult.**

Quand j'étais jeune, j'écoutais les histoires de mes aînés que je prenais pour argent comptant, en gobant chaque parole et je revenais en demander. Mais la nouvelle génération ne semble guère posséder la foi ingénue de jadis. La saison dernière, nous, c'est-à-dire George, Harris et moi, prîmes un jour à notre bord un bleu à qui nous servîmes les bobards habituels sur les choses extraordinaires que nous avions accomplies.

Nous lui débitâmes la série des classiques, les boniments vénérables que tous les canotiers de la Tamise rabâchent depuis des années et en ajoutâmes sept entièrement originaux que nous avions inventés pour nous-mêmes, y compris un tout à fait vraisemblable, fondé, dans une certaine mesure, sur la version révisée d'une histoire presque authentique qui était véritablement arrivée (avec quelques modifications) il y a quelques années à des amis à nous. Une histoire que le premier enfant venu aurait pu avaler sans peine.

Et ce jeune homme les tourna tous en dérision et voulut que nous lui répétions nos exploits sur-le-champ, pariant dix contre un que c'était impossible.

---

11. **itself** se rapporte, de façon un peu méprisante, à l'enfant dont le sexe est indéterminé.
12. **to mock at sbd** = **to mock sbd** : *se moquer de qqn.*
13. m. à m. *et voulait nous parier dix contre un que nous n'avions pas fait cela.*

Extrait n° 13 (chapitre 15)

*Jérome se rappelle ses débuts de canotage, quand il était enfant.
Il volait des planches sur les chantiers, pour se confectionner un
radeau, le propriétaire le surprenait et le poursuivait. Il évoque
aussi les débuts difficiles de George et de Harris qui, quand ils
se mirent à l'aviron, donnèrent des spectacles différents, mais tous
plus burlesques les uns que les autres. L'aviron est un art subtil,
surtout quand il s'agit de prendre la cadence et de ramer
ensemble.*

George said he had often longed [1] to take to punting [2] for a change. Punting is not as easy as it looks. As in rowing, you soon learn how to get along and handle [3] the craft, but it takes long practice before you can do this with dignity and without getting the water all up your sleeve.

One young man I knew had a very sad accident happen [4] to him the first time he went punting. He had been getting on so well that he had grown quite cheeky over the business, and was walking up and down the punt, working [5] his pole with a careless [6] grace that was quite fascinating to watch. Up he would march to the head of the punt, plant his pole, and then run along right to the other end, just like an old punter. Oh! it was grand [7].

And it would all have gone on being grand if he had not unfortunately, while looking round [8] to enjoy the scenery, taken just one step more than there was any necessity for, and walked off [9] the punt altogether. The pole was firmly fixed in the mud, and he was left clinging [10] to it while the punt drifted away. It was an undignified position for him. A rude boy on the bank immediately yelled out to a lagging [11] chum to "hurry up and see a real monkey on a stick".

I could not go to his assistance, because, as ill-luck would have it [12], we had not taken the proper precaution to bring out a spare [13] pole with us. I could only sit and look at him. His expression as the pole slowly sank [14] with him I shall [15] never forget; there was so much thought in it [16].

---

1. **to long to do sth** : *mourir d'envie de faire qqch.*
2. **punt** : *barque à fond plat*, peu profonde, large et carrée aux deux bouts. On manœuvre ce type de barque avec une perche que l'on plante dans le fond de la rivière. **Punting** désigne cette activité et **to punt** cette façon de manœuvrer.
3. **to handle** : *manœuvrer, gouverner.*
4. = **had a very sad accident which happened to him**, *eut un très triste accident qui lui arriva.*
5. ici **to work** = to manœuvre : *manœuvrer.*
6. **careless** : *négligent, insouciant, irréfléchi.*
7. **grand** : *magnifique, grandiose, noble.*
8. m. à m. *regardant autour de lui.*
9. m. à m. *hors de la barque.*
10. **to cling, clung, clung** : *se cramponner, s'accrocher.*
11. **to lag** : *rester en arrière, traîner.*

George déclara qu'il avait souvent eu grande envie de se mettre à la barque à fond plat, pour changer. La technique de la barque à fond plat n'est pas aussi simple qu'il y paraît. Comme pour l'aviron, on apprend vite à se débrouiller et à faire avancer l'esquif, mais une longue pratique est nécessaire avant de pouvoir le faire avec dignité et sans s'envoyer de l'eau plein les manches.

Il arriva un triste accident à un jeune homme que je connaissais, la première fois qu'il manœuvra la perche sur une barque à fond plat. Cela se passait si bien qu'il s'était mis à considérer la chose avec outrecuidance et allait et venait sur sa barque en manœuvrant sa perche avec une grâce désinvolte que l'on regardait avec fascination. Il remontait jusqu'à l'avant de la barque, plantait sa perche dans le fond, et revenait rapidement à l'autre bout comme un vieil habitué de la perche. Ah, c'était magnifique.

Et cela aurait continué à être magnifique, si, malencontreusement, en voulant admirer le paysage, il n'avait fait un pas de plus que nécessaire et n'avait définitivement quitté la barque. La perche était solidement fichée dans la vase et il y resta accroché tandis que sa barque partait à la dérive. Il avait là une position manquant de dignité. Un grossier petit garnement sur la berge se mit aussitôt à hurler à un copain qui se trouvait un peu plus loin de « se dépêcher de venir voir un vrai singe sur une perche ».

Je ne pouvais pas lui venir en aide car, par malchance, nous n'avions pas pris la sage précaution d'emmener avec nous une perche de rechange. Je ne pouvais que le regarder. Je n'oublierai jamais son air, à mesure que la perche s'enfonçait lentement sous son poids : il paraissait tellement songeur.

---

12. m. à m. *comme le voulait la malchance.*
13. **spare :** *de rechange, de remplacement* ; cf. **a spare room :** *une chambre d'ami,* **a spare wheel :** *une roue de secours.*
14. **to sink, sank, sunk :** *s'enfoncer dans les flots, couler.*
15. à la 1re personne du futur, on préfère aujourd'hui, dans les phrases affirmatives, **will** à **shall**, même dans la langue littéraire.
16. m. à m. *il y avait dedans tant de recueillement.*

I watched him gently let down into the water [1], and saw him scramble out [2], sad and wet. I could not help laughing, he looked such a ridiculous figure. I continued to chuckle to myself about it for some time, and then it was suddenly forced upon me that really I had got very little to laugh at when I came to think of it. Here was I, alone in a punt, without a pole, drifting helplessly down midstream – possibly towards a weir [3].

I began to feel very indignant with my friend for having stepped overboard and gone off in that way. He might, at all events, have left me the pole.

I drifted on for about a quarter of a mile, and then I came in sight of a fishing-punt moored [4] in midstream, in which sat two old fishermen. They saw me bearing down upon [5] them, and they called out to me to keep out of their way.

"I can't", I shouted back.

"But you don't try", they answered.

I explained the matter to them when I got nearer, and they caught me and lent [6] me a pole. The weir was just fifty yards below [7]. I am glad they happened to be [8] there.

The first time I went punting was in company with three other fellows [9]; they were going to show me how to do it. We could not all start together, so I said I would go down first and get out the punt [10], and then I could potter [11] about and practise a bit until they came.

I could not get a punt out that afternoon, they were all engaged [12]; so I had nothing else to do but to sit down on the bank, watching the river, and waiting for my friends.

---

1. m. à m. *je le vis descendre tout doucement dans l'eau.*
2. **to scramble out :** *sortir à quatre pattes* (en s'aidant de ses pieds et de ses mains).
3. ⚠ à la prononciation de **weir** [wiǝr].
4. **to moor :** *s'amarrer, mouiller ;* cf. **the moorings :** *les amarres.*
5. **to bear down upon sbd :** *se déplacer rapidement et de façon menaçante vers qqn.*
6. **to lend (lent, lent) sth to sbd :** *prêter qqch à qqn.*
7. m. à m. *en aval ;* **below :** *sous, au-dessous de ;* cf. **below sea-level :** *au-dessous du niveau de la mer.*
8. notez la construction de **happen** avec un verbe à l'infinitif complet : **he happened to do it :** *il s'est trouvé qu'il l'a fait ;* **do you happen to have a pen ?** *auriez-vous par hasard un stylo ?*
9. m. à m. *était en compagnie de trois autres types.*

Je le vis s'engloutir insensiblement et sortir à grand-peine de l'eau, piteux et ruisselant. Je ne pus m'empêcher de rire tant il était ridicule. Je continuai à en rire seul pendant quelque temps, jusqu'à ce que l'idée s'imposât soudain à moi qu'il y avait, à la réflexion, très peu de raisons d'en rire. J'étais là, seul dans ma barque, sans perche, à la dérive, au milieu du courant qui m'entraînait peut-être vers un déversoir d'écluse.

Je fus pris d'une grande indignation contre mon ami qui s'était avisé de quitter le bateau et de s'en aller de cette façon. Il aurait pu, en tout cas, me laisser la perche.

Je continuai à dériver pendant à peu près quatre cents mètres avant d'apercevoir deux pêcheurs dans une barque à fond plat, amarrée au milieu du fleuve. Ils me virent arriver sur eux et me crièrent de m'écarter de leur chemin.

« Je ne peux pas », répondis-je.

« Mais vous n'essayez pas », répliquèrent-ils.

Quand je fus près d'eux, je leur expliquai ma situation et ils m'arrêtèrent au passage et me prêtèrent une perche. Le déversoir ne se trouvait que cinquante mètres plus bas. J'avais eu de la chance de les rencontrer là.

La première fois que j'ai fait de la barque à fond plat, ce fut avec trois camarades ; ils devaient me montrer la manière de se servir de la perche. Comme nous ne pouvions pas arriver ensemble, je m'étais dit que je descendrais au bord de l'eau, sortirais la barque et pourrais m'y mettre tout doucement pour m'exercer un peu avant leur arrivée.

Je ne réussis pas à obtenir de barque à fond plat cet après-midi-là, elles étaient toutes prises. Comme je n'avais rien d'autre à faire, je m'assis sur la berge à regarder le fleuve en attendant mes amis.

---

10. = **to get the punt out.** La particule adverbiale peut se placer avant ou après le complément (quand celui-ci n'est pas trop long).
11. **to potter about :** *s'occuper de bagatelles, faire des riens, traîner, flâner.*
12. **engaged** [in'geidʒ] **:** *occupé.* ⚠ **to be engaged** a, pour une personne, le sens d'*être fiancé.*

I had not been sitting there long before my attention became attracted to a man in a punt who, I noticed with some surprise, wore a jacket and cap exactly like mine. He was evidently a novice at punting, and his performance was most interesting. You never knew what was going to happen when he put the pole in; he evidently did not know himself. Sometimes he shot[1] up-stream and sometimes he shot down-stream, and at other times he simply spun[2] round and came up the other side of the pole. And with every result he seemed equally surprised and annoyed[3].

The people about[4] the river began to get quite absorbed[5] in him after a while, and to make bets with one another as to what would be the outcome of his next push[6].

In the course of time[7] my friends arrived on the opposite bank, and they stopped and watched him too. His back was towards them, and they only saw his jacket and cap. From this[8] they immediately jumped to the conclusion[9] that it was I, their beloved[10] companion, who was making an exhibition[11] of himself, and their delight knew no bounds. They commenced to chaff[12] him unmercifully[13].

I did not grasp their mistake at first, and I thought, "How rude of them[14] to go on like that, with a perfect stranger, too!" But before I could call out and reprove them, the explanation of the matter occurred to me[15], and I withdrew[16] behind a tree.

Oh, how they enjoyed themselves ridiculing that young man! For five good minutes they stood there, shouting ribaldry[17] at him, deriding[18] him, mocking him, jeering at him. They peppered[19] him with stale jokes, they even made a few new ones and threw them at him.

---

1. **to shóot, shot, shot** (v. intr.) : *se précipiter, s'élancer.*
2. **to spin (spun, spun)** : *tourner, tournoyer ;* to spin round : *pivoter, se retourner vivement.*
3. **to be annoyed** [ə'nɔid] **with s.o. about sth** : *être en colère contre qqn à propos de qqch.*
4. **about** : *autour (de), de côté et d'autre (de).*
5. **to be absorbed** [əb'sɔːbd] **in** : *être absorbé par.*
6. **push** : *poussée, impulsion, effort.*
7. m. à m. *avec le temps, à la longue.*
8. m. à m. *à cause de cela, en raison de cela.*
9. **to jump to a conclusion** : *arriver prématurément à une conclusion, juger trop vite.*
10. **beloved** : *bien-aimé.*
11. **an exhibition** : *une exposition.*

158

J'étais là depuis peu de temps quand mon attention fut attirée par l'occupant d'une barque à fond plat qui, je le remarquai avec surprise, portait exactement la même veste et la même casquette que moi. C'était de toute évidence un néophyte et sa façon de manœuvrer était des plus intéressantes. On ne pouvait pas imaginer ce qui allait se passer quand il plongeait sa perche dans l'eau. Lui-même, assurément, l'ignorait. Tantôt il s'élançait vers l'amont, tantôt vers l'aval, et parfois il ne faisait que tournoyer autour de la perche. Et quel que fût le résultat, il paraissait tout aussi surpris et vexé.

Les gens qui se trouvaient autour se mirent au bout d'un moment à l'observer attentivement et à faire des paris sur les résultats du prochain coup de perche.

Enfin mes amis arrivèrent sur la rive opposée et s'arrêtèrent pour le regarder également. Il leur tournait le dos et ils ne voyaient que sa veste et sa casquette. Cela les amena à conclure hâtivement que c'était leur cher camarade qui se donnait en spectacle et leur joie fut sans borne. Ils commencèrent à se payer sa tête impitoyablement.

Je ne compris pas tout de suite leur méprise et pensai : « Quelle grossièreté de leur part, surtout avec quelqu'un qu'ils ne connaissent pas du tout. » Mais avant de pouvoir les interpeller pour les réprimander, tout s'éclaira pour moi et je me dissimulai derrière un arbre.

Ah, quel plaisir ils prirent à ridiculiser ce jeune homme ! Pendant cinq bonnes minutes ils restèrent là, à lui lancer des obscénités et des quolibets et à l'accabler de sarcasmes et de huées. Ils le criblaient de plaisanteries rebattues et en inventèrent même quelques nouvelles pour les lui décocher.

---

12. **to chaff** : *taquiner, blaguer.*
13. **unmerciful** = **merciless (without mercy)** : *impitoyable, sans pitié.*
14. notez la construction exclamative : **how** + adj. + **of** + pronom pers. complément ; **how kind of you** ! *comme c'est gentil à vous !*
15. m. à m. *l'explication de la chose me vint à l'esprit.*
16. **to withdraw, withdrew, withdrawn** (v. intr.) : *se retirer, se replier.*
17. **ribald** ['ribəld] : *grivois, paillard.*
18. **to deride** : *railler, tourner en ridicule* ; *(se) dérider* : **to brighten up.**
19. formé à partir de **pepper** *(poivre)*, le verbe **to pepper** a, outre son sens de *poivrer*, celui de *cribler de balles, mitrailler.*

They hurled at him all the private family jokes belonging to our set, which must have been perfectly unintelligible to him. And then, unable to stand their brutal jibes any longer, he turned round on [1] them, and they saw his face!

I was glad to notice that they had sufficient decency left in them to look very foolish. They explained to him that they had thought he was someone they knew. They said they hoped he would not deem [2] them capable of so [3] insulting anyone except a personal friend of their own [4].

Of course their having mistaken him [5] for a friend excused it. I remember Harris telling me once of a bathing experience he had at Boulogne. He was swimming about there near the beach, when he felt himself suddenly seized [6] by the neck from behind, and forcibly [7] plunged under water. He struggled violently, but whoever had got hold [8] of him seemed to be a perfect Hercules [9] in strength, and all his efforts to escape were unavailing [10]. He had given up kicking, and was trying to turn his thoughts upon solemn things [11], when his captor [12] released him.

He regained his feet, and looked round for his would-be murderer. The assassin was standing close by him, laughing heartily, but the moment he caught sight of Harris's face, as it emerged from the water [13], he started [14] back and seemed quite concerned [15].

"I really beg your pardon", he stammered confusedly, "but I took you for a friend of mine!"

Harris thought it was lucky for him the man had not mistaken him for a relation, or he would probably have been drowned outright [16].

---

1. **on** sert à indiquer ici la personne vers laquelle l'action est dirigée ; cf. **to turn one's back on sbd** : *tourner le dos à qqn.*

2. **to deem** (lit.) : *juger, estimer* ; cf. **to deem highly of sbd** : *avoir une haute opinion de qqn.*

3. **so** (*ainsi, de cette façon*) se place devant le verbe et est ici synonyme de **in such a way** que l'on ne pourrait mettre qu'après le complément.

4. = **one of their own personal friends** (*un de leurs propres amis personnels*).

5. = **the fact that they had mistaken him.**

6. ∆ à la prononciation de **seized** [si:zd].

7. **forcible** : *par force, obtenu par la violence* ; cf. **forcible feeding** : *alimentation forcée.*

Ils le bombardèrent des blagues familières à notre bande, qui devaient lui être parfaitement incompréhensibles. C'est alors qu'incapable de supporter davantage leurs railleries féroces, il se retourna vers eux et ils aperçurent son visage !

Je fus content de voir qu'il leur restait assez de décence pour avoir l'air très bêtes. Ils lui expliquèrent qu'ils l'avaient pris pour quelqu'un qu'ils connaissaient. Ils dirent qu'ils espéraient qu'il ne les croirait pas capables d'insulter ainsi quelqu'un qui n'aurait pas été un de leurs amis intimes.

Bien sûr, leur méprise excusait tout. Je me rappelle l'aventure que Harris me raconta un jour et qui lui était arrivée en se baignant à Boulogne. Il nageait près de la plage lorsqu'il se sentit brusquement saisi au cou par-derrière et plongé de force sous l'eau. Il se débattit comme un beau diable mais celui qui l'avait empoigné semblait véritablement doté d'une force herculéenne et tous ses efforts pour lui échapper furent vains. Il avait renoncé à donner des coups de pied et songeait à sa fin prochaine quand son bourreau le relâcha.

Il reprit pied, cherchant des yeux son assassin présumé. Le meurtrier était à ses côtés, riant à gorge déployée, mais à l'instant où il vit émerger le visage de Harris, il fit un bond en arrière et parut consterné.

« Je vous demande bien pardon, bredouilla-t-il tout confus, je vous ai pris pour un de mes amis. »

Harris se dit qu'il avait eu de la chance que le type ne l'eût pas pris pour un parent, car il est probable qu'il l'aurait alors carrément noyé.

---

8. **to get hold of** : *se saisir de, s'emparer de.*
9. △ à la prononciation de **Hercules** ['hə:kjuli:z].
10. **unavailing** : *inutile, vain, infructueux.* Formé à partir du sens aujourd'hui archaïque de **to avail** : *être efficace, servir.*
11. m. à m. *de tourner ses pensées vers des choses solennelles.*
12. **captor** : *celui qui s'est emparé de qqn.*
13. m. à m. *il aperçut le visage de Harris comme il émergeait de l'eau.*
14. **to start** : *sursauter, tressaillir.*
15. **concerned** : *inquiet, soucieux* ; **concern** : *inquiétude, anxiété.*
16. **outright** : *complètement, du premier coup* ; *sans ménagement* ; **to refuse outright** : *refuser tout net* ; **he was killed outright** : *il fut tué sur le coup.*

Extrait n° 14 (chapitre 17)

La voile est aussi un art difficile. Un jour, à Yarmouth, Jérome en fit l'amère expérience, en compagnie d'un ami. C'est à Reading, ville dont le narrateur évoque quelques moments historiques, que la chaloupe à moteur d'un de ses amis les remorque sur quelques kilomètres. Jérome exprime alors sa colère envers les petits bateaux à rames dont la façon de conduire l'exaspère. Puis, quand il faut reprendre les rames et alors qu'il aurait dû le faire sur le parcours où ils ont été remorqués, il trouve logique que George ou Harris se mettent aux avirons, mais ils ne l'entendent point de cette oreille et l'obligent à assurer sa tâche. Ils aperçoivent le cadavre d'une femme, flottant à la surface et apprennent l'histoire mélodramatique de cette malheureuse qui, abandonnée de tous, s'est donnée la mort dans les flots noirs de la Tamise. Après avoir essayé en vain de laver leurs vêtements dans le fleuve, ils sont obligés de les porter à la blanchisserie. La Tamise, vers Streatley, est réputée pour la pêche à la ligne, elle abonde en poissons mais il est rare qu'on y attrape quelque chose. Jérome s'est adonné quelque temps à cette activité, mais il y a finalement renoncé car il lui manquait la qualité essentielle du pêcheur à la ligne : l'imagination.

Some people are under the impression that all that is required to make a good fisherman is the ability to tell lies easily and without blushing; but this is a mistake. Mere bald [1] fabrication [2] is useless; the veriest tyro [3] can manage that. It is in the circumstantial detail [4], the embellishing touches of probability [5], the general air of scrupulous – almost of pedantic – veracity, that the experienced angler is seen.

Anybody can come in and say, "Oh, I caught fifteen dozen [6] perch [7] yesterday evening"; or "Last Monday I landed [8] a gudgeon, weighing eighteen pounds, and measuring three feet from the tip of the tail [9]".

There is no art, no skill, required for that sort of thing. It shows pluck, but that is all.

No; your accomplished angler would scorn to tell a lie, that way. His method is a study in itself.

He comes in quietly with his hat on, appropriates [10] the most comfortable chair, lights his pipe, and commences to puff in silence. He lets the youngsters brag [11] away for a while, and then, during a momentary lull [12], he removes the pipe from his mouth, and remarks, as he knocks the ashes out against the bars [13]:

"Well, I had a haul [14] on Tuesday evening that it's not much good my telling anybody about."

"Oh! Why's that?" they ask.

"Because I don't expect anybody would believe me if I did", replies the old fellow calmly, and without even a tinge [15] of bitterness in his tone, as he refills his pipe, and requests the landlord [16] to bring him three [17] of Scotch, cold.

---

1. **bald** [bɔːld] : *non déguisé ; sans ornement et sans grâce.*

2. **fabrication** a le sens d'*invention, contrefaçon ;* cf. **a pure fabrication**.

3. **tyro = tiro** : *novice, apprenti, néophyte.*

4. m. à m. *détail relatif aux circonstances.*

5. m. à m. *aux touches de vraisemblance qui agrémentent l'histoire.*

6. **dozen** comme **hundred, thousand** ou **million** reste invariable quand il est précédé d'un nombre et ne prend la marque du pluriel que quand il est indéfini : **dozens of** *(des douzaines de).*

7. **perch** comme **fish** peut être utilisé au singulier avec un sens de collectif *(les perches) ;* cf. l'expression **I have other fish to fry** *(j'ai d'autres chats à fouetter).*

8. **to land a fish** : *amener un poisson à terre, le prendre.*

Certains ont l'impression qu'il suffit, pour être bon pêcheur, d'être capable de débiter des mensonges avec aisance et sans rougir ; mais c'est une erreur. La simple affabulation ne sert à rien, c'est à la portée du premier débutant venu. C'est au détail particulier, aux enjolivements vraisemblables, à l'air général de véracité scrupuleuse et presque pédante que l'on reconnaît le pêcheur à la ligne chevronné.

N'importe qui peut arriver et dire : « Tiens, j'ai pris quinze douzaines de perches hier après-midi » ; ou : « Lundi dernier, j'ai ramené un goujon qui pesait huit kilos et mesurait quatre-vingt-dix centimètres de la tête à la queue. »

Ce genre de propos ne demande aucun art, aucun talent. Il dénote de l'aplomb, c'est tout.

Non ; le pêcheur à la ligne accompli aurait honte de raconter un mensonge de cette façon. Sa méthode mérite qu'on l'étudie.

Il entre tranquillement, le chapeau sur la tête, s'empare du siège le plus confortable et allume sa pipe dont il se met à tirer des bouffées en silence. Il laisse les jeunes faire les fanfarons pendant quelque temps puis, au cours d'une accalmie passagère, il ôte sa pipe de la bouche et, tout en secouant les cendres contre la grille, déclare :

« Eh bien moi, j'ai fait une prise mardi soir, qui ne vaut guère la peine que j'en parle à qui que ce soit. »

« Ah bon, pourquoi ça ? » demandent-ils.

« Parce que je pense que personne ne me croirait si je la racontais », répond calmement le bonhomme. Et sans la moindre trace d'amertume dans la voix, il rebourre sa pipe et demande au patron de lui amener un grand whisky bien frais.

---

9. m. à m. *à partir de l'extrémité de la queue.*
10. **to appropriate (sth) :** *s'emparer de, prendre possession de (qqch).*
11. **to brag :** *se vanter, se faire valoir.*
12. **lull :** *moment de calme, accalmie.*
13. il s'agit de la grille du foyer **(the bars of the grate).**
14. **haul :** *prise, pêche ;* **to get a good haul :** *faire une bonne pêche.*
15. **a tinge :** *une teinte, une nuance ;* cf. **a tinge of irony :** *une pointe d'ironie* → **to tinge :** *teinter, colorer.*
16. **landlord :** *aubergiste* qui n'est pas forcément le propriétaire.
17. **a three of Scotch = for three-pennyworth :** *pour trois pence de whisky.*

There is a pause after this, nobody feeling sufficiently sure of himself to contradict the old gentleman. So he has to go on by himself without any encouragement [1].

"No", he continues thoughtfully; "I shouldn't believe it myself if anybody told it to me, but it's a fact, for all that. I had been sitting there all the afternoon and had caught literally nothing – except a few dozen dace and a score [2] of jack; and I was just about giving it up as a bad job when I suddenly felt a rather smart [3] pull at the line. I thought it was another little one, and I went to jerk [4] it up. Hang me, if I could move the rod! It took me half an hour – half an hour, sir! – to land that fish; and every moment I thought the line was going to snap [5]! I reached him at last, and what do you think it was? A sturgeon! a forty-pound sturgeon! taken on a line, sir! Yes, you may well look surprised – I'll have another three of Scotch, landlord, please."

And then he goes on [6] to tell [7] of the astonishment [8] of everybody who saw it; and what his wife said, when he got home, and of what Joe Buggles thought about it.

I asked the landlord of an inn [9] up the river once [10], if it did not injure him [11], sometimes, listening to the tales that the fishermen about there told him; and he said:

"Oh, no; not now, sir. It did used to [12] knock me over a bit at first, but, lor love you [13]! me and the missus [14] we listen to'em all day now. It's what you're used to, you know. It's what you're used to."

---

1. m. à m. *sans encouragement.* **Any** est nécessaire après **without** dans le sens d'*aucun,* d'*aucune sorte de.*

2. **a score** : *vingt.* Le mot, qui signifie aussi *entaille,* vient de l'entaille que l'on faisait sur un bâton quand on avait atteint ce chiffre. Vingt comme douze servaient d'unités avant la décimalisation ; cf. 12 pence dans un shilling et 20 shillings dans une livre.

3. **smart** a ici le sens de *vigoureux, brutal* (ayant un certain degré d'intensité, de force ou de rapidité).

4. **to jerk** : *tirer brusquement, secouer ;* up indique le mouvement vers le haut *(redresser en donnant une secousse).*

5. **to snap** : *se casser net* ou *avec un bruit sec ;* cf. **to snap one's fingers** : *faire claquer ses doigts.*

6. m. à m. *il continue alors à révéler l'étonnement de tous ceux qui le virent.*

7. **to tell of sth** : *annoncer, révéler qqch.*

Il s'ensuit un silence car personne ne se sent suffisamment sûr de lui pour contredire cet homme vénérable. Il lui faut donc poursuivre seul, sans qu'on l'y encourage.

Il continue posément :

« Non, je ne le croirais pas moi-même si quelqu'un me le racontait, mais pourtant c'est un fait. J'étais resté assis tout l'après-midi pratiquement sans rien prendre, si ce n'est une douzaine de vandoises et une vingtaine de brochetons et, insatisfait, j'étais sur le point de renoncer lorsque brusquement je sens que ça mord ferme. J'ai cru que c'était un autre petit poisson et allai pour le détacher, mais du diable si je parvins à bouger ma canne ! Il me fallut une demi-heure, oui, une demi-heure, monsieur, pour ramener ce poisson. Et à chaque instant je craignais de voir ma ligne se rompre. Je finis par l'attraper et que croyez-vous que c'était ? Un esturgeon ! Un esturgeon de dix-huit kilos ! Pris à la ligne, monsieur ! Oui, il y a de quoi être étonné. Je prendrai un autre grand whisky, patron, s'il vous plaît. »

Et il continue alors à raconter combien tous ceux qui le virent furent ébahis ; et ce que sa femme dit quand il rentra chez lui et ce que Joe Biggles en pensait.

Je demandai un jour au patron d'une auberge sur la Tamise s'il ne lui était parfois pas trop pénible d'écouter les histoires que ses clients pêcheurs lui racontaient et il me répondit :

« Oh non, plus maintenant monsieur. Au début il est vrai que cela m'excédait un peu, mais, mon Dieu, la patronne et moi, on entend ça à longueur de journée. On s'y habitue, vous savez. On s'y habitue. »

---

8. **astonishment** [əs'tɔniʃmənt] : *étonnement, surprise.*
9. **inn** : *auberge* (où l'on peut loger).
10. **once** *(une fois)* peut également avoir le sens de *jadis, autrefois.*
11. m. à m. *si cela ne l'offusquait pas trop.*
12. notez la forme d'insistance de **used to → did used to**.
13. = **lord love you !** : *que Dieu vous aime !*
14. **the missus,** terme familier un peu péjoratif, utilisé par un homme pour désigner sa femme ou celle d'un autre *(la patronne).*

I knew a young man once, he was a most conscientious fellow and, when he took to fly-fishing [1], he determined never to exaggerate his hauls by more than twenty-five per cent.

"When I have caught [2] forty fish", said he, "then I will tell people that I have caught fifty, and so on. But I will not lie any more than that, because it is sinful to lie."

But the twenty-five per cent plan did not work well at all. He never [3] was able to use it. The greatest number of fish he ever caught in one day was three, and you can't add twenty-five per cent to three – at least, not in fish.

So he increased his percentage to thirty-three and a third, but that, again [4], was awkward [5], when he had only caught one or two; so, to simplify matters, he made up his mind to just double the quantity.

He stuck [6] to this arrangement for a couple of months, and then he grew dissatisfied with it. Nobody believed him when he told them that he only doubled, and he, therefore, gained no credit that way whatever [7], while his moderation put him at a disadvantage among the other anglers. When he had really caught three small fish, and said he had caught six, it used to make him quite jealous to hear a man, whom [8] he knew for a fact had only caught one, going about [9] telling people he had landed two dozen.

So, eventually he made one final arrangement with himself, which he has religiously held [10] to ever since, and that was to count each fish that he caught as ten, and to assume [11] ten to begin with.

---

1. m. à m. *la pêche à la mouche.* Pêche à la ligne où l'on se sert de mouches comme appât.

2. le futur en **will** est impossible dans une proposition subordonnée de temps avec un sens de futur. On utilise le présent pour une action dans le futur, cf. **when I catch** *(quand j'attraperai)*, et le **present perfect** pour le résultat d'une action dans le futur : **when I have caught** *(quand j'aurai attrapé).*

3. **never** placé avant l'auxiliaire est forcément accentué.

4. m. à m. *à nouveau.*

5. **awkward** ['ɔːkwəd] : *peu commode.* Peut aussi avoir le sens de *maladroite* (personne) et *embarrassante* (situation).

6. **to stick (stuck, stuck) to :** *rester fidèle à ;* **to stick to one's word :** *tenir parole.*

7. **whatever** placé après un nom renforce la négation : **no credit whatever = absolutely no credit** *(absolument aucun crédit).*

J'ai connu un jeune homme qui était très consciencieux et qui lorsqu'il se mit à pêcher à la ligne prit la résolution de ne jamais exagérer de plus de vingt-cinq pour cent l'importance de ses prises.

« Quand j'aurai attrapé quarante poissons, disait-il, je raconterai alors aux gens que j'en ai attrapé cinquante, et ainsi de suite. Mais je ne mentirai pas davantage, car mentir est un péché. »

Mais le système des vingt-cinq pour cent ne réussit pas du tout. Il ne put jamais l'utiliser. Le plus grand nombre de poissons qu'il prit en un jour fut trois et on ne peut pas ajouter vingt-cinq pour cent à trois, du moins quand il s'agit de poissons.

Il fit donc passer son taux à trente-trois un tiers, mais cela était tout aussi peu pratique quand il n'en avait attrapé qu'un ou deux. Aussi pour simplifier les choses se décida-t-il à doubler simplement la quantité.

Il s'en tint à cette disposition pendant quelques mois, puis il y renonça. Personne ne le croyait quand il leur disait qu'il n'avait fait que doubler le nombre et, par conséquent, on ne lui accordait, avec cette méthode, aucun crédit, tandis que sa modération le désavantageait par rapport aux autres pêcheurs à la ligne. Quand il avait réellement attrapé trois petits poissons et annonçait qu'il en avait pris six, cela le rendait très jaloux d'entendre quelqu'un, dont il savait pertinemment qu'il n'en avait attrapé qu'un, aller raconter aux gens qu'il en avait ramené deux douzaines.

Il finit donc par conclure un dernier accord avec lui-même, auquel il s'est toujours fidèlement tenu et qui était de compter chaque poisson pour dix et de s'en donner dix pour commencer.

---

8. **whom,** pronom relatif complément pour les personnes, remplace **a man** et est complément de **knew.**
9. **to go about :** *aller çà et là, circuler.*
10. **to hold (held, held) to sth :** *s'en tenir à, adhérer à (qqch) ;* **to hold to a belief :** *rester attaché à une croyance.*
11. **to assume** [ə'sju:m] **:** *s'attribuer, s'arroger ;* **to assume a name :** *emprunter un nom.*

For example, if he did not catch any fish at all, then he said he had caught ten fish – you could never catch less than ten fish by his system; that was the foundation [1] of it. Then, if by any chance he really did catch one fish, he called it twenty [2], while two fish would count thirty, three forty, and so on.

It is a simple and easily worked plan, and there has been some talk lately [3] of its being made use [4] of by the angling fraternity [5] in general. Indeed, the Committee of the Thames Anglers' Association did recommend its adoption about two years ago, but some of the older members opposed it. They said they would consider the idea if the number were [6] doubled, and each fish counted as twenty.

If ever you have an evening to spare, up the river, I should advise you to drop into one of the little village inns, and take a seat in the tap-room [7]. You will be nearly sure to meet one or two old rod-men [8], sipping their toddy there, and they will tell you enough fishy [9] stories in half an hour to give you indigestion for a month.

George and I – I don't know what had become of Harris; he had gone out and had a shave, early in the afternoon, and had then come back and spent full forty minutes in pipe-claying [10] his shoes, we had not seen him since – George and I, therefore, and the dog, left to ourselves, went for a walk to Wallingford [11] on the second evening, and, coming home, we called in at a little riverside inn, for a rest, and other things [12].

We went into the parlour [13] and sat down. There was an old fellow there, smoking a long clay pipe, and we naturally began chatting.

---

1. **foundation :** *fondation, fondement, base.*

2. m. à m. *il appelait ça vingt.*

3. on utilise le **present perfect** avec **lately** *(récemment, ces derniers temps)* qui ne détermine pas l'action précisément dans le passé.

4. m. à m. *de son utilisation par la confrérie générale des pêcheurs à la ligne.* C'est-à-dire en mettant à la voix active **that the angling fraternity would make use of it.**

5. **fraternity** a aussi en américain le sens *d'association d'anciens élèves.*

6. **were** est un subjonctif qui est à la 1re et à la 3e personne du singulier plus hypothétique que le simple prétérit modal **was** ; *dans le cas exceptionnel où.*

7. **tap :** *robinet ;* **on tap :** *au tonneau, en perce.* La **tap-room**

Par exemple s'il n'avait pas pris de poisson, il disait qu'il en avait attrapé dix — on ne pouvait jamais par ce système attraper moins de dix poissons ; c'était le principe de base. Et donc, si par hasard il en attrapait vraiment un, il en annonçait vingt, tandis que deux compteraient pour trente, trois pour quarante et ainsi de suite.

C'est un procédé simple et commode et il a été question récemment que la confrérie des pêcheurs à la ligne l'adopte comme règle générale. En effet, il y a deux ans, le comité de l'Association des pêcheurs à la ligne de la Tamise a prôné son adoption mais certains de ses membres les plus anciens s'y sont opposés. Ils déclarèrent qu'ils ne prendraient cette proposition en considération que si le nombre était doublé et que chaque poisson comptait pour vingt.

Si un soir vous ne savez pas quoi faire, sur la Tamise, je vous conseille d'entrer dans une petite auberge de village et de vous asseoir au bar. Vous êtes à peu près sûr d'y rencontrer un ou deux vieux adeptes de la gaule qui sirotent leur grog et ils vous raconteront en une demi-heure assez d'histoires de pêche pour vous en donner une indigestion pendant un mois.

George et moi — je ne sais pas ce qui était arrivé à Harris (il était sorti se faire raser en début d'après-midi, puis était revenu et avait passé quarante minutes à astiquer ses chaussures, et nous ne l'avions pas revu depuis) —, George et moi, disais-je, ainsi que le chien, restés seuls, partîmes faire un tour à Wallingford, le deuxième soir, et fîmes halte, au retour, dans une petite auberge au bord de l'eau, entre autres pour nous reposer.

Nous allâmes nous asseoir dans le salon. Un vieux bonhomme qui fumait une longue pipe en terre s'y trouvait et c'est tout naturellement qu'on entama la conversation.

---

est une pièce de la taverne, où les alcools sont tirés des tonneaux.

8. terme archaïque pour désigner les *pêcheurs à la ligne*, qui utilisent des *cannes à pêche* **(fishing-rods)**.

9. **fishy :** *qui a rapport aux poissons*. L'adj. a familièrement le sens de *douteux, louche*.

10. **pipe-clay :** variété de terre à pipe qui, mélangée à l'eau, forme une pâte que l'on utilisait pour blanchir les pantalons. **To pipe-clay :** *blanchir à la terre à pipe* et par dérivation *astiquer, briquer*.

11. ville baignée par la Tamise, située un peu au sud de Dorchester, entre Oxford et Reading.

12. m. à m. *et autres choses*.

13. salle plus intime que la *salle de bar* **(tap-room)** et où les gens peuvent converser à part.

He told us that it had been a fine day today and we told him that it had been [1] a fine day yesterday [2], and the we all told each other that we thought it would be a fine day tomorrow: and George said the crops seemed to be coming up nicely.

After that it came out [3], somehow or other, that we were strangers [4] in the neighbourhood, and that we were going away the next morning.

Then a pause ensued [5] in the conversation, during which our eyes wandered round the room. They finally rested upon a dusty old glass-case, fixed very high up above the chimney-piece, and containing a trout. It rather fascinated me, that trout; it was such a monstrous fish. In fact, at first glance [6], I thought it was a cod.

"Ah!" said the old gentleman, following the direction of my gaze, "fine fellow [7] that, ain't [8] he [9]?"

"Quite uncommon", I murmured; and George asked the old man how much he thought it weighed.

"Eighteen pounds [10] six ounces [11]", said our friend, rising and taking down [12] his coat. "Yes", he continued, "it wur [13] sixteen year ago, come the third o' next month [14], that I landed him. I caught him just below the bridge with a minnow. They told me he wur in the river, and I said I'd have him, and so I did. You don't see many [15] fish that size about here now, I'm thinking. Good night, gentlemen, good night."

And out he went, and left us alone.

We could not take our eyes off the fish after that. It really was a remarkably fine fish.

---

1. le **past perfect** se réfère ici à une antériorité dans le passé (par rapport à **told**).

2. il s'agit ici de style indirect libre, ce qui explique que l'on ait **today, yesterday** et **tomorrow,** là où au style indirect on aurait **on that day, the day before** et **the day after** ou **the next/following day**.

3. **come out** est ici synonyme de **be revealed** : *apparaître, se faire jour* ; cf. **the truth is coming out** : *la vérité se dégage*.

4. △ **a stranger** : *un étranger, un inconnu* et **a foreigner** : *un étranger* (d'un autre pays).

5. **to ensue** : *s'ensuivre.*

6. m. à m. *à première vue.*

7. **fellow** ne s'utilise en général que pour une personne de sexe masculin ; cf. **a young fellow** : *un jeune type.*

8. = **isn't he?** ; sous-entendu **he is a fine fellow.**

Il nous dit que la journée avait été belle et on lui dit que hier il avait fait beau et nous nous dîmes les uns les autres que nous croyions qu'il ferait beau le lendemain ; et George déclara que les récoltes paraissaient bien s'annoncer.

Ensuite, il nous arriva de dire incidemment que nous n'étions pas de la région et que nous repartirions le lendemain matin.

Un silence s'ensuivit, pendant lequel notre regard fit le tour de la pièce. Il se fixa finalement sur une vieille vitrine poussiéreuse accrochée bien au-dessus de la cheminée et renfermant une truite. A vrai dire, elle me fascinait cette truite ; tant elle était énorme. En fait, au premier abord, je l'avais prise pour une morue.

« Ah, dit le vieux monsieur, en suivant la direction de mon regard, c'est une belle bête, hein ? » '

« Tout à fait hors du commun », murmurai-je.

George lui demanda combien il pensait qu'elle pouvait peser.

« Huit kilos trois », répondit notre ami, en se levant pour prendre son manteau. « Oui, poursuivit-il, il y aura seize ans le trois du mois prochain que je l'ai pêchée. Je l'ai prise juste sous le pont, avec un vairon. Ils m'avaient dit qu'elle était dans la rivière et je m'étais dit que je l'aurais et je l'ai eue. On ne voit plus beaucoup de poissons de cette taille dans les parages, maintenant, je crois. Bonsoir, messieurs, bonsoir. »

Et il sortit, nous laissant seuls.

Nous ne pouvions plus détacher les yeux de ce poisson. C'était vraiment une bête magnifique.

9. **he** s'explique par la personnalisation du poisson ; marque de familiarité et de respect envers l'animal.

10. **pound** *(livre)*, abrév. **lb,** mesure de poids égale à 453 g et divisée en 16 onces.

11. **ounce** *(once)*, abrégé en **oz**, mesure égale à 28,35 g.

12. l'adverbe **down** suggère que le manteau était accroché en hauteur (à un porte-manteau).

13. = **it was.**

14. = **when the third of next month comes** : *quand viendra le trois du mois prochain.*

15. bien que **fish** soit ici invariable, **many** insiste sur le fait que l'on se réfère à une quantité dénombrable.

We were still looking at it, when the local[1] carrier[2], who had just stopped at the inn, came to the door of the room with a pot of beer in his hand, and he also looked at the fish.

"Good-sized trout, that", said George, turning round to him.

"Ah! you may well say that, sir", replied the man; and then, after a pull[3] at his beer, he added, "Maybe you wasn't[4] here, sir, when that fish was caught?"

"No", we told him. We were strangers in the neighbourhood.

"Ah!" said the carrier, "then, of course, how should you? It was nearly five years ago that I caught that trout."

"Oh! Was it you who caught it, then?" said I.

"Yes, sir", replied the genial[5] old fellow. "I caught him just below the lock – leastways[6], what was the lock then – one Friday afternoon; and the remarkable thing about it is that I caught him with a fly. I'd gone out pike fishing, bless you[7], never thinking of a trout, and when I saw that whopper[8] on the end of my line, blest if it didn't quite take me aback[9]. Well, you see, he weighed twenty-six pound. Good night, gentlemen, good night."

Five minutes afterwards a third man came in, and described how *he* had caught it early one morning, with bleak[10]; and then he left, and a stolid[11], solemn-looking, middle-aged individual came in, and sat down over[12] by the window.

None of[13] us spoke for a while; but, at length, George turned to the new-comer, and said:

---

1. **local** : *du coin, du quartier ;* **the locals** : *les gens du coin.*

2. **carrier** : celui qui porte des marchandises (du verbe **to carry**) ; *voiturier ; transporteur.*

3. **pull** (fam.) : *gorgée, lampée.*

4. forme dialectale et fautive pour **weren't**.

5. **genial** ['dʒi:njəl] : *jovial, plein d'entrain.*

6. **leastways** (adverbe dialectal et populaire) : *en tout cas..., ou du moins...* Synonyme de **at least**.

7. exclamation : *ma foi !*

8. **whopper,** terme populaire (on dit aussi **whacker**) utilisé pour désigner une chose énorme.

9. **aback** était un terme de la marine à voile pour désigner les voiles plaquées contre le mât par vent dessus. **To be taken aback :** *être pris vent dessus* (donc reculer au lieu d'avancer) et par suite *être déconcerté, interloqué.*

Nous étions encore à le contempler quand le voiturier de service, qui venait de s'arrêter à l'auberge, apparut au seuil de la pièce, avec sa chope de bière, et se mit lui aussi à considérer l'animal.

« Voilà une truite de bonne taille », dit George, en se retournant vers lui.

« Ah, ça vous pouvez le dire, monsieur », répliqua l'homme. Et il ajouta, après avoir bu une lampée de sa bière :

« Vous n'étiez peut-être pas là, monsieur, quand ce poisson a été pris ? »

Nous lui répondîmes que non et que nous n'étions pas de la région.

« Ah bon, fit le voiturier, alors dans ce cas, c'était impossible. Il y a près de cinq ans que j'ai attrapé cette truite. »

« Ah, alors c'est vous qui l'avez attrapée ? » demandai-je.

« Oui monsieur, répliqua le jovial voiturier, je l'ai attrapée juste au-dessus de l'écluse, du moins de ce qui était une écluse à l'époque, un vendredi après-midi. Et le plus extraordinaire est que je l'ai prise avec une mouche. J'étais parti à la pêche au brochet, si vous voulez le savoir. Je ne m'attendais pas du tout à une truite et quand j'ai vu ce monstre au bout de ma ligne, je peux vous dire que ça m'a sacrément surpris. Vous la voyez, elle fait douze kilos. Bonsoir, messieurs, bonsoir. »

Cinq minutes après, un troisième type entra et expliqua comment, lui, l'avait attrapée un matin avec de l'ablette. Après qu'il fut sorti, un individu d'âge moyen, flegmatique et l'air sérieux, entra et alla s'asseoir à côté de la fenêtre.

Aucun d'entre nous ne dit mot tout d'abord. Mais au bout d'un certain temps George se tourna vers le nouvel arrivé et lui dit :

---

10. l'*ablette* est un petit poisson de rivière, qui sert souvent d'appât.
11. **stolid :** *lourd, flegmatique, impassible* ; **stolidity :** *le flegme*.
12. **over** indique que la fenêtre se trouve du côté opposé à la porte et qu'il a dû traverser la pièce pour aller s'asseoir là.
13. **none** doit être suivi de **of** quand il s'applique à un pronom ou à un nom au pluriel. Il peut être suivi d'un verbe au singulier ou au pluriel ; ex. : **none of them has/have gone out.**

"I beg your pardon, I hope you will forgive the liberty that we – perfect strangers in the neighbourhood – are taking, but my friend here and myself would be so much obliged if you would tell us how you caught that trout up there."

"Why, who told you I caught that trout!" was the surprised query [1].

We said that nobody had told us so, but somehow or other we felt instinctively that it was he who had done it.

"Well, it's a most remarkable thing – most remarkable", answered the stolid stranger, laughing; "because, as a matter of fact [2], you are quite right. I did catch it. But fancy [3] your guessing it like that. Dear me [4], it's really a most remarkable thing."

And then he went on, and told us how it had taken him half an hour to land it, and how it had broken his rod. He said he had weighed it carefully when he reached home, and it had turned the scale [5] at thirty-four pounds.

He went in his turn, and when he was gone [6], the landlord came in to us. We told him the various histories we had heard about his trout, and he was immensely amused, and we all laughed very heartily.

"Fancy Jim Bates and Joe Muggles and Mr Jones and old Billy Maunders all telling you that they had caught it. Ha! ha! ha! Well, that is good", said the honest [7] old fellow, laughing heartily. "Yes they are the sort to give [8] it me, to put up [9] in my parlour, if they had caught it, they are! Ha! ha! ha!"

And then he told us the real history of the fish.

---

1. **query** ['kwiːəri] : *question, interrogation* ; **to query** : *mettre en question/en doute.*

2. **as a matter of fact** = **in fact** : *en fait.*

3. **fancy !** : *imaginez un peu ! si je m'attendais à... ! qui se serait attendu à... !*

4. **dear me !** : *mon Dieu ! vraiment ! pas possible !*

5. **scale** : *plateau (de la balance)* ; **to turn the scale** : *faire pencher la balance* ; **(a pair of) scales** : *balance* (à plateaux).

6. il est assez courant d'utiliser la voix passive **be gone** quand on veut simplement dire que qqn ou qqch n'est plus là, a disparu. Quand on pense au mouvement, à sa direction ou à sa destination, on utilise le **present perfect : have gone.**

7. ⚠ à la prononciation de **the honest** [ði' ɔnist]. C'est un des rares cas de **h** muet en anglais.

« Je vous demande pardon, j'espère que vous excuserez la liberté que nous prenons, bien que nous ne soyons pas du tout de la région, mais mon ami et moi vous serions très reconnaissants si vous nous racontiez comment vous avez attrapé cette truite qui est là-haut. »

« Et qui vous a dit que j'ai attrapé cette truite ? » s'écria-t-il, étonné.

Nous lui répondîmes que personne ne nous l'avait dit mais que, spontanément, nous pressentions que c'était lui qui l'avait prise.

« Ma foi, c'est tout à fait étonnant... tout à fait étonnant, répliqua l'inconnu flegmatique en riant. Car, en vérité, vous avez raison. C'est moi qui l'ai prise. Mais qu'on puisse le deviner comme ça. Pardi, c'est vraiment extraordinaire. »

Il poursuivit alors et nous conta qu'il lui avait fallu une demi-heure pour la ramener et qu'elle avait cassé sa canne à pêche. Il dit l'avoir pesée soigneusement, une fois rentré chez lui et que la balance avait marqué quinze kilos.

Il s'en alla à son tour et lorsqu'il fut parti, le patron arriva. Nous lui rapportâmes les diverses histoires que nous avions entendues sur cette truite, cela l'amusa énormément et nous en rîmes avec lui de bon cœur.

« Ça alors, Jim Bates, Joe Muggles, M. Jones et le vieux Billy Maunders qui, chacun leur tour, vous racontent que c'est eux qui l'ont attrapée. Ah ! Ah ! Ah ! C'est bien la meilleure, dit le brave vieux bonhomme, en s'esclaffant. Oui, comme s'ils me la donneraient à *moi*, pour la mettre dans *mon* salon si c'était *eux* qui l'avaient prise. Ah ! Ah ! Ah ! »

Et il nous narra alors la véritable histoire du poisson.

---

8. △ **give** peut être suivi d'un complément d'objet direct et d'un complément d'objet second (d'attribution). Le c.o. second vient en premier sauf s'il y a une préposition **(to)** et que le c.o.d. est un pronom personnel. Ex. : **he gave the landlord/him a fish** mais **he gave it to the landlord/him.** Quand les deux compléments sont des pronoms, on met en général le c.o.d. en premier et on peut, en anglais britannique, omettre la préposition : **Give it me = Give it to me.**

9. m. à m. *accrocher.*

It seemed that he had caught it himself, years ago, when he was quite a lad [1]; not by any art or skill, but by that unaccountable luck that appears to always [2] wait upon [3] a boy when he plays the wag [4] from school, and goes out fishing on a sunny afternoon, with a bit of string tied on to the end of a tree.

He said that bringing home that trout had saved him from a whacking [5], and that even his schoolmaster had said it was worth the rule-of-three and practice [6] put together [7].

He was called out of the room at this point, and George and I turned our gaze upon the fish.

It really was a most astonishing trout. The more we looked at it, the more we marvelled [8] at it.

It excited George so much that he climbed up on the back of a chair to get a better view of it.

And then the chair slipped, and George clutched [9] wildly at the trout-case to save himself, and down it came with a crash, George and the chair on top of it [10].

"You haven't injured the fish, have you?" I cried in alarm, rushing up.

"I hope not [11]", said George, rising cautiously and looking about.

But he had. That trout lay shattered [12] into a thousand fragments – I say a thousand, but they may have only been nine hundred. I did not count them.

We thought it strange and unaccountable that a stuffed trout should break up [13] into little pieces like that.

And so it would have been strange and unaccountable, if it had been a stuffed trout, but it was not.

That trout was plaster of Paris [14].

---

1. **quite a lad** = really a lad : *vraiment un jeune garçon*.
2. il est fréquent, dans la langue courante, de placer l'adverbe entre le **to** et le reste de l'infinitif **(split infinitive)**. Cela permet de mieux faire porter l'adverbe sur le verbe.
3. **to wait on/upon sbd** : *servir qqn.* Cf. **a waiter** : *un serveur*.
4. **a wag** : *un farceur, un blagueur*.
5. **to whack** : *battre* (à coups retentissants), *fesser* (un enfant).
6. exercice d'entraînement pour arriver à la compétence.
7. m. à m. *mis ensemble*.
8. en anglais britannique le **l** final est doublé devant **-ed** et **-ing**, même si la syllabe n'est pas accentuée ; cf. **travel : travelled** (GB), **traveled** (US).

Il semblait que c'était lui qui l'avait attrapé, des années auparavant, quand il était tout jeune. Non pas grâce à ses qualités de pêcheur mais grâce à la chance inexplicable dont paraît toujours bénéficier le gamin qui fait l'école buissonnière et s'en va à la pêche, par un bel après-midi, avec un bout de ficelle attaché à une branche d'arbre.

Il nous dit qu'il avait échappé à une raclée en rapportant cette truite chez lui et que son maître d'école lui-même avait déclaré qu'elle valait bien la récitation de la règle de trois et les exercices réunis.

C'est à ce moment qu'il nous quitta parce qu'on l'appelait et que George et moi tournâmes le regard vers le poisson.

C'était vraiment une truite phénoménale. Plus nous la regardions, plus elle nous émerveillait.

Elle excitait tellement la curiosité de George qu'il grimpa sur le dossier d'un fauteuil pour la voir de plus près.

Mais le fauteuil glissa et George, pour se retenir, s'agrippa désespérément à la vitrine qui dégringola avec fracas, tout comme George et le fauteuil.

« Tu n'as pas abîmé le poisson, hein ? » m'écriai-je, affolé, en me précipitant.

« J'espère que non, répondit George, en se relevant avec précaution et en regardant autour de lui. »

Hélas ! La truite gisait en mille morceaux... je dis mille, mais il n'y en avait peut-être que neuf cents. Je ne les ai pas comptés.

Nous trouvâmes étrange et incompréhensible qu'une truite empaillée puisse se briser en autant de petites pièces.

Et cela eût, en effet, été étrange et incompréhensible, s'il se fût agi d'une truite empaillée, mais ce n'était pas le cas.

Cette truite n'était qu'un moulage en plâtre.

---

9. **to clutch at sth** : *se retenir, se raccrocher, se cramponner à qqch.*
10. **on top of it (all)** : *pour comble de tout, en sus de tout cela.*
11. = **I hope I haven't injured the fish. Not** remplace une proposition négative et **so** une affirmative.
12. **to shatter** : *fracasser ; se fracasser.*
13. **to break up** : *se désagréger, se disloquer.*
14. c'est une sorte de plâtre blanc qui doit son nom au gypse qui servait à le fabriquer et que l'on trouvait à Montmartre.

Résumés des chapitres 18-19

Les écluses qui jalonnent la Tamise agrémentent le parcours. Un jour qu'ils étaient dans l'une d'elles, à poser avantageusement pour la photo, ils s'aperçurent, au dernier moment, que le nez de leur canot était pris dans l'écluse et se dégagèrent d'extrême justesse avec leurs avirons. Mais la brusquerie de la manœuvre les fit tomber et ils furent photographiés les quatre fers en l'air. Ils poursuivent leur route jusqu'à Oxford et la fin du trajet est assez périlleuse, ce qui donne à Jérome l'occasion de déverser maints gros mots et d'épiloguer sur le changement radical de comportement qu'opère le canotage sur ceux qui le pratiquent. Les gens les plus calmes et les plus doux deviennent agressifs et grossiers. A Oxford Montmorency passe deux jours à se battre avec d'autres chiens. Jérome conseille à ceux qui veulent faire du bateau à Oxford d'amener le leur car ceux qu'on y trouve à louer ne sont pas de grande qualité. Il se souvient du canot qu'ils louèrent un jour en amont du fleuve et qui était une véritable ruine qu'ils durent consolider avant de s'en servir. Ils quittent Oxford sous une pluie battante et autant la Tamise est riante et avenante sous le soleil, autant elle est lugubre dans la grisaille. Il pleut toute la journée et le souper est triste. Après celui-ci, ils échangent des anecdotes sur les maladies, parfois mortelles, qui guettent ceux qui passent la nuit dans des lieux froids et humides. Puis ils chantent, accompagnés par le banjo de George, un air si tragique qu'ils éclatent en sanglots avant de pouvoir terminer leur chanson. Trempés et sales, ils gagnent alors piteusement la gare la plus proche pour rentrer à Londres où ils vont voir un ballet avant de se rendre dans un restaurant où ils finissent la soirée.

LEXIQUE

A

abstain from (to), *s'abstenir de*, 82

accomplish (to), *accomplir*, 82

account for (to), *justifier*, 16

add (to), *ajouter*, 48

advise (to), *conseiller*, 104

agree (to), *être d'accord*, 142

ague, *fièvre intermittente*, 14

ailment, *affection*, 12

allow (to), *permettre*, 36

altogether, *complètement*, 64, 154

anathemize (to), *maudire*, 110

angler, *pêcheur à la ligne*, 164

annoyed, *en colère*, 158

answer (to), *répondre*, 50

antimacassar, *têtière*, 92

anxiety, *inquiétude*, 76

anyhow, *de toute façon*, 146

appearance, *aspect*, 44

appropriate (to), *s'emparer de*, 164

arch (to), *courber*, 120

argue from (to), *tirer argument de*, 52

arrange (to), *prendre ses dispositions*, 30

as to, *en ce qui concerne*, 108

ashes, *cendres*, 164

assist (to), *aider*, 134

astonishment, *étonnement*, 166

attached, *attaché*, 48

attract (to), *attirer*, 158

awake, *éveillé*, 108

awe, *effroi*, 138

awkward, *peu commode*, 168

B

back (to), *reculer*, 128

bald, *non déguisé*, 164

bank, *berge*, 84

bargain (into the), *par dessus le marché*, 108

bargeman, *batelier*, 52

barometer, *baromètre*, 64

beach, *plage*, 52

beam (to), *rayonner*, 102

beforehand, *d'avance*, 68

belong to (to), *appartenir à*, 44

beloved, *bien-aimé*, 158

bend, *courbe*, 96

berth, *couchette*, 26

beside, *à côté*, 34

bet, bet, bet (to), *parier*, 96

bewildered, *perplexe*, 96

bite, bit, bitten (to), *mordre*, 124

bitter, *amer*, 68

blackmail (to), *faire chanter*, 84

bleak, *ablette*, 174

blow, *coup*, 36

blush (to), *rougir*, 164

boil (to), *bouillir*, 136

bold, *hardi*, 126

bosom, *giron*, 26

boss (to), *diriger*, 56

brag (to), *se vanter*, 164

brain, *cerveau*, 24

brandy, *cognac*, 46

breadth, *largeur*, 100

brief, *bref*, 18

brighten up (to), *s'égayer*, 74

bring, brought, brought about (to), *amener*, 120

broken-winded, *hors d'haleine*, 42

brother-in-law, *beau-frère*, 26

bump (to), *heurter*, 100
burden, *fardeau*, 30
burglar, *cambrioleur*, 116
bury (to), *enterrer*, 50, 84, 138
butt (to), *donner un coup de tête*, 18

C

cab, *fiacre*, 42
cabbage, *chou*, 112
call to sbd (to), *rendre visite à qqn*, 48
callous, *insensible*, 90
candle, *chandelle*, 34
careless, *négligent*, 92
carriage, *wagon*, 44
cast-iron, *fonte de fer*, 120
ceiling, *plafond*, 122
chaff (to), *taquiner*, 158
chap, *gars*, 74
charwoman, *femme de ménage*, 34, 50
chat (to), *bavarder*, 170
cheek (to), *narguer*, 138
cheer oneself up (to), *se réconforter*, 64
cheerful, *de bonne humeur*, 54
chemist, *pharmacien*, 18
cherry, *cerise*, 132
chess-board, *échiquier*, 114
chest, *poitrine*, 18, 44
chill (to), *glacer*, 126
chuck (to), *jeter*, 84
chuckle (to), *glousser*, 62, 156
chum, *copain*, 16
chummy, *sociable*, 82
circular, *prospectus*, 12
citizen, *citoyen*, 102
clamour (to), *réclamer*, 146
clank, *bruit métallique*, 100

clean, *entièrement*, 38
clear up (to), *s'éclaircir*, 68
cling, clung, clung (to), *se cramponner*, 154
clout sbd's head (to), *flanquer une taloche à qqn*, 120
clump, *taloche*, 20
clutch (to), *s'agripper*, 18, 178
coal, *charbon*, 116
cod, *morue*, 172
cold, *rhume*, 64
come across sbd (to), *tomber sur qqn*, 32
commonplace, *banal, ordinaire*, 18, 66
commotion, *branle-bas*, 30
compartment, *compartiment*, 46
compel (to), *contraindre*, 146
complain (to), *se plaindre*, 52
constable, *agent de police*, 112
constitutionnal, *promenade de santé*, 138
consumptive, *tuberculeux*, 52
contest, *lutte*, 122
corn, *cor au pied*, 38
corner, *coin*, 34
corpse, *cadavre*, 52
countenance, *visage*, 96
covertly, *furtivement*, 76
cowardly, *lâche*, 18
crave for sth (to), *désirer ardemment qqch.*, 144
credit to (to do), *faire honneur à*, 42
crew, *équipage*, 144
cripple (a), *un infirme*, 42
crockery, *vaisselle*, 100
crooked, *courbé*, 38
crop, *récolte*, 172
crowd, *foule*, 24
crowded, *bondé*, 44
crusty, *hargneux*, 44

cure (to), *guérir*, 20
cushion, *coussin*, 72

D

dainty, *délicat*, 72
dart (to), *se précipiter*, 126
dash off (to), *partir précipitamment*, 42
dashing, *plein d'allant*, 74
deem (to), *juger*, 160
depressed, *déprimé*, 46
deprive of (to), *priver de*, 52
deride (to), *railler*, 160
despair, *désespoir*, 14
detain (to), *retenir, retarder*, 48
detect (to), *discerner*, 52
diagnosis, *diagnostic*, 12
diet (to), *mettre au régime*, 102
dignified, *digne*, 122
dilapidated, *délabré*, 112
din, *vacarme*, 124
dining-room, *salle à manger*, 30
diphteria, *diphtérie*, 14
direct sbd to do sth (to), *charger qqn de faire qqch.*, 48
disease, *maladie*, 12
disentangle (to), *démêler*, 90
disgraceful, *honteux*, 44, 126
dismal, *lugubre*, 114
disreputable, *de mauvaise réputation*, 126
dissatisfied, *insatisfait*, 82
distrustful, *méfiant*, 114
disturb (to), *déranger*, 128
down-stream, *en aval*, 96
draw, drew, drawn (to), *tirer*, 76
draw up (to), *s'arrêter*, 46
drawl (to), *parler d'une voix traînante*, 148

drenched, *trempé*, 64
drift (to), *dériver*, 94
drivel (to), *radoter*, 102
drop (to), *laisser tomber*, 36
drop off (to), *descendre*, 48
s'assouplir, 108
drought, *sécheresse*, 66
drowsy, *assoupi*, 24
dust (to), *épousseter*, 72
duty, *devoir*, 22

E

each, *chacun*, 34
ear, *oreille*, 122
earnest, *sérieux*, 142
ease up (to), *se reposer*, 96
enable (to), *permettre*, 82
energetic, *énergique*, 68
enliven (to), *égayer*, 114
ensue (to), *s'ensuivre*, 172
escape (to), *s'échapper*, 160
eventually, *finalement*, 168
envince (to), *montrer, manifester*, 134
exclaim (to), *s'exclamer*, 108
exertion, *usage*, 84
exhausted, *épuisé*, 148
experiment, *expérience*, 134
eye up (to), *toiser*, 112

F

fabrication, *invention*, 164
faint, *faible*, 52
faith, *foi*, 150
fall back (to), *se reculer*, 44
fancy (to), *imaginer*, 12
fate, *destin*, 104
fear (to), *craindre*, 144
fearful, *affreux*, 12, 52
feat, *exploit*, 148
feel faint (to), *se sentir mal*, 52

fetching, *ravissant*, 72

fever, *fièvre*, 14

fidget (to), *remuer, gigoter*, 44

field, *champ*, 90

fierce, *féroce*, 122

fight, fought, fought (to), *se battre*, 124

firmness, *fermeté*, 84

fisherman, *pêcheur*, 156, 164

fishing-net, *filet de pêche*, 94

fitful, *agité*, 74

flatten (to), *aplatir*, 38

flavour, *saveur*, 136

flimsy, *trop léger*, 64

fling, flang, flung (to), *lancer*, 110

fly, *mouche*, 174

fog, *brouillard*, 108

fold up (to), *plier, replier*, 18, 90

folk, *gens*, 72

follow (to), *suivre*, 20

fool, *imbécile*, 34

fool about (to), *faire l'idiot*, 72

force one's way (to), *se frayer un chemin*, 46

forcibly, *de force*, 160

forefinger, *index*, 72

foretell, foretold, foretold (to), *prédire*, 68

forget, forgot, forgotten (to), *oublier*, 36

forgiving, *indulgent*, 100

fortnight, *quinzaine*, 14

frame, *cadre*, 32

framemaker, *encadreur*, 30

fraud, *supercherie*, 62

fray, *bagarre*, 124

freeze, froze, frozen (to), *geler*, 14

fuss (to make a), *faire des histoires*, 36

G

gape at (to), *regarder bouche bée*, 34, 58

gather up (to), *rassembler*, 44

genial, *jovial*, 174

genuine, *authentique*, 134

get down (to), *descendre*, 34

get rid of (to), *se débarrasser de*, 52

ghastly, *épouvantable*, 62, 90

giddiness, *vertiges, éblouissements*, 12

give, gave, given (to), *renoncer*, 74

gloves, *gants*, 72

gout, *la goutte*, 14

grand, *magnifique*, 64

grave, *tombe*, 84

gravy, *sauce*, 134

greatly, *beaucoup*, 48

grin (to), *grimacer*, 102

grind away (to), *travailler dur*, 148

grocery, *épicerie*, 30

grovel (to), *se mettre à plat ventre*, 34

growl (to), *grogner*, 136

gruffy, *d'un ton bourru*, 82

grunt (to), *grogner*, 34, 94

gudgeon, *goujon*, 164

H

hackneyed, *rebattu*, 136

half-a-crown, *demi-couronne*, 46

hammer, *marteau*, 30, 34

hamper, *panier*, 54

hamper (to), *gêner*, 20, 136

handcuff (to), *mettre les menottes*, 116

hankerchief, *mouchoir*, 32

handle (to), *manœuvrer*, 154

hang, hung, hung about (to), *attendre, traîner*, 82

hardly, *à peine*, 20

harp on (to), *rabâcher*, 54

harry (to), *tourmenter*, 44

haughty, *hautain*, 122

haul (to), *tirer*, 94

heap, *tas*, 90

heart, *chaleur*, 62

hide, hid, hidden (to), *se cacher*, 114

hinder (to), *gêner, entraver*, 32, 94

hold, held, held in (to), *retenir*, 44

hollow, *creux*, 132

hoop, *arceau*, 100

housemaid's knee, *inflammation du genou*, 14

huddle up (to), *se blottir*, 74

huge, *immense*, 84

humpy, *qui donne le cafard*, 24

hurl (to), *lancer (avec violence)*, 160

I

impelled to (to be), *être poussé à*, 12

implant (to), *implanter*, 26

imposition, *supercherie*, 84

impress sth upon sbd, *faire comprendre qqch. à qqn*, 56

inch, *pouce*, 34

income, *revenu*, 84

indeed, *en effet*, 170

indignant, *indigné*, 96

induce (to), *provoquer, amener*, 16

infancy, *petite enfance*, 20

injured, *blessé*, 34

inn, *auberge*, 166

insecure, *peu solide*, 38

insight, *idée, aperçu*, 142

intend (to), *avoir l'intention de*, 56

invidious, *qui suscite la jalousie*, 14

involuntary, *involontaire*, 74

irritate (to), *irriter*, 56

J

jacket, *veste*, 158

jam, *confiture*, 82

jealous, *jaloux*, 168

jeer (to), *railler*, 158

jerk (to), *secouer*, 166

jibe, *sarcasme*, 160

joke, *plaisanterie*, 158

jolly, *enjoué*, 62

journey, *voyage*, 142

K

keep on (to), *continuer*, 64

keep in check (to), *tenir en échec*, 22

keeping with (in), *en accord avec*, 108

kettle, *bouilloire*, 136

kick (to), *donner des coups de pied*, 160

kind, *gentil*, 128

kind-hearted, *qui a bon cœur*, 26

kitten, *chaton*, 102

knees, *genoux*, 34

knock-knedd, *aux genoux cagneux*, 42

knot, *nœud*, 90

knowing, *d'un air entendu*, 64

knowledge, *connaissance*, 96

L

lace, *dentelle*, 72
ladder, *échelle*, 34
lamb, *agneau*, 124
landlady (a), *une propriétaire*, 64
lark, *blague*, 64
lately, *récemment*, 170
lay, laid, laid (to), *déposer*, 92
lay oneself out (to), *faire tout son possible*, 42
laziness, *paresse*, 20
lazy, *paresseux*, 84
leaf (plur. leaves), *feuille*, 12
lean, leant, leant (to), *s'appuyer*, 76
left, *gauche*, 36
lemonade, *limonade*, 54
lend, lent, lent (to), *prêter*, 156
lenghty, *long*, 54
lessened, *diminué*, 68
lie, *mensonge*, 164
lift (to), *soulever*, 32, 92
light, lit, lit (to), *allumer*, 22
light-hearted, *enjoué*, 74
likely, *probable*, 48
lips, *lèvres*, 74
lively, *animé*, 72
liver, *couloir*, 122
lock, *écluse*, 92, 174
loll (to), *se prélasser*, 58
long to do sth (to), *mourir d'envie de faire qqch.*, 154
look back (to), *regarder en arrière*, 50
loop, *boucle*, 90
lull, *accalmie*, 164

M

mad, *fou*, 34
make for (to), *se diriger vers*, 110
make matters out (to), *comprendre*, 66
manage (to), *réussir*, 142
mangy, *pelé*, 120
march (to), *marcher au pas*, 44
marvel (to), *s'émerveiller*, 178
mean, *mesquin*, 46
mean (to), *avoir l'intention de*, 64
means, *moyens*, 52
meanwhile, *en attendant*, 66
meat, *viande*, 54
medicine, *médicament*, 12
meek, *doux*, 122
mellow, *moëlleux*, 42
melon, *melon*, 52
merely, *simplement*, 110
mess about (to), *bricoler*, 58
miserable, *malheureux*, 96
misery, *malheur*, 68
misfortune, *malchance*, 72
misleading, *trompeur*, 64
moist, *humide*, 48
molars, *molaires*, 100
monkey, *singe*, 154
mooch, *flânerie*, 54
mortuary, *morgue*, 52
mud, *boue*, 138, 154
muddle, *pagaïe*, 94
murder (to), *assassiner*, 124
muse (to), *méditer*, 122
mutter (to), *marmonner*, 68

N

nail, *clou*, 30
namely, *à savoir*, 142
nasty, *méchant*, 124
neck, *cou*, 160
neighbouring, *voisin* (adj.), 112
nestle up (to), *se blottir*, 124
ninny, *nigaud*, 102

notice (to), *remarquer*, 52
notice-board, *écriteau*, 84
notwithstanding, *néanmoins*, 44
nourishing, *nourrissant*, 136
now and then, *de temps en temps*, 144

O

oarsman, *rameur*, 74
object to (to), *s'élever contre*, 24
oblige (to), *rendre service*, 20
occurence, *événement*, 108
opportunity, *occasion*, 122
orphan, *orphelin*, 50
outcome, *résultat*, 158
outright, *complètement*, 160
overcoat, *pardessus*, 116
overflow (to), *déborder*, 66
overhaul (to), *vérifier*, 134
overwork, *surmenage*, 24
owing to, *à cause de*, 66
owner, *propriétaire*, 84

P

pack (to), *emballer*, 54
palate, *palais*, 136
parcel, *paquet*, 44
parish, *paroisse*, 52
part (to), *se quitter*, 54
partake, partook, partaken (to), *participer à*, 142
pass away (to), *mourir*, 18
passenger, *passager*, 44
pat (to), *tapoter*, 16
peanut, *cacahuète*, 132
peas, *petits pois*, 134
peel (to), *éplucher*, 132
pervade (to), *envahir*, 122
pick oneself up (to), *se relever*, 36

picture to oneself (to), *s'imaginer*, 116
pike, *brochet*, 174
pillow, *oreiller*, 108
pious, *pieux*, 102
piteously, *piteusement*, 128
pity, *pitié*, 90
plague (to), *tourmenter*, 62
plate, *assiette*, 100
plod (to), *avancer péniblement, peiner*, 14
plot, *complot*, 52
pluck, *courage*, 126
ply sbd with sth (to), *importuner qqn avec qqch.*, 150
pole, *perche*, 154
ponder over sth (to), *méditer sur qqch.*, 16
poodle, *caniche*, 120
portent, *présage*, 68
porter, *porteur*, 44
post, *piquet*, 84
potter about (to), *bricoler*, 56
pound, *livre*, 52
pour (to), *verser*, 62
practice, *la pratique*, 18
prescription, *ordonnance*, 18
prey, *proie*, 126, 136
pride, *orgueil*, 38
prone, *enclin, disposé*, 90
proudly, *fièrement*, 44
pulse, *pouls*, 16
punt, *barque à fond plat*, 154
puppy, *chiot*, 74
put up (to), *installer*, 30
put up with (to), *s'accommoder de*, 74
puzzled, *intrigué*, 136

Q

quarrelsome, *querelleur*, 102
query (to), *chercher à savoir*, 50

R

rack, *filet (à bagages)*, 44
ramshackle, *délabré*, 42
read out (to), *lire à voix haute*, 62
readiness, *empressement*, 56
reckon up (to), *calculer*, 52
recollect (to), *se rappeler*, 148
refill (to), *remplir à nouveau*, 22
relations, *parents*, 86
release (to), *relâcher*, 160
remains, *restes*, 132
remark (to), *faire remarquer*, 164
remedy, *remède*, 22
remind sdb of sth (to), *rappeler qqch. à qqn*, 30
reply (to), *répondre*, 36, 50
reside (to), *résider*, 50
respectfully, *respectueusement*, 44
respond (to), *répondre*, 46
rest, *repos*, 24
rest (to), *se reposer*, 142
retort (to), *rétorquer*, 146
retriever, *chien rapporteur*, 120
return ticket, *billet aller-retour*, 26
revengeful, *vengeur*, 68
rhubarb, *rhubarbe*, 22
ribbon, *ruban*, 72
ribaldry, *grivoiseries*, 158
right, *droit*, 36
righteousness, *droiture*, 102
ripe, *mûr*, 42
rise, rose, risen (to), *se lever*, 128
roll up (to), *enrouler*, 92
rollicking, *joyeux*, 74
roof, *toit*, 50
root, *racine*, 76

rope, *(la) corde*, 124
rough, *voyou*, 84
round, *simple*, 54
rouse (to), *soulever, susciter*, 136
rout out (to), *déloger*, 114
row, *querelle*, 36
row (to), *se bagarrer*, 124
rower, *rameur*, 148
rude, *grossier*, 154
rug, *petite couverture*, 76
rule, *règle graduée*, 30
rush, *roseau*, 96
rush (to), *se précipiter*, 46

S

sausage, *saucisse*, 136
scent, *odeur*, 42
score, *vingt*, 166
scorn (to), *mépriser*, 164
scoundrel, *canaille*, 138
scrape (to), *gratter*, 132
scull (to), *ramer*, 142
seaweed, *algue*, 62
seedy, *miteux, minable*, 12
seek, sought, sought (to), *chercher*, 24
sensitive, *sensible*, 74
sentence (to), *prononcer une condamnation*, 126
settle (to), *régler*, 146 ; *décider, trancher*, 30
shamble (a), *un pas traînant*, 42
shame, *honte*, 108
shelter, *abri*, 64
shower, *averse*, 62
shudder (to), *frémir*, 104 ; *frissonner*, 72
shutter, *volet*, 112
sift (to), *passer au tamis*, 14
sigh (to), *soupirer*, 72

succeed (to), *réussir*, 86

suddenness, *soudaineté*, 36

sufficient, *suffisant*, 38

summon (to), *sommer de comparaître*, 84, 124

survey (to), *examiner, étudier*, 38

swagger (to), *plastronner*, 26

swallow (to), *avaler*, 22, 150

swear, swore, sworn (to), *jurer*, 90

swift, *rapide*, 42

T

tail, *queue*, 126

take in (to), *raccourcir*, 92

take off (clothes) (to), *enlever(vêtements)*, 32

tangle, *enchevêtrement*, 90

tap (to), *tapoter*, 66

task, *tâche*, 58

tasteful, *de bon goût*, 72

tear, tore, torn (to), *arracher*, 84

term (to), *désigner*, 50

therefore, *par conséquent*, 52

therein, *(là) dedans*, 12

thicken (to), *épaissir*, 134

think over (to), *réfléchir*, 78

thinking, *opinion*, 72

thoroughly, *complètement*, 26

thoughtful, *réfléchi*, 104, 122

threatening, *menaçant*, 138

throng (to), *affluer*, 52

throughout, *tout du long*, 134, 136

thumb, *pouce*, 36

thunderstorm, *orage*, 62

tickle (to), *chatouiller*, 120

tie up (to), *nouer*, 92

tight, *serré*, 94

toddy, *grog*, 170

toes, *orteils*, 36

tomato, *tomate*, 54

tomfoolishness, *âneries*, 62

tongue, *langue*, 16

tool, *outil*, 32

tow (to), *haler*, 90

tow-line, *corde de halage*, 90

tow-path, *chemin de halage*, 94

toy with sth (to), *s'amuser avec qqch*, 22

tray, *plateau*, 22

tread, trod, trodden (to), *marcher*, 104

tree-trunk, *tronc d'arbre*, 76

tremendous, *énorme*, 26

trespass (to), *s'introduire sans permission*, 82

tributary, *affluent*, 84

trip up (to), *trébucher*, 76

trouble (to), *déranger*, 128

trout, *truite*, 172

try, *essai, tentative*, 38

tuck up (to), *retrousser*, 78

tumble (to), *faire des cabrioles*, 102

tyro, *novice*, 164

U

umbrella, *parapluie*, 26

unaccountable, *inexplicable*, 90

unanimous, *unanime*, 24

unavailing, *inutile*, 160

uncanny, *mystérieux*, 56

Impression réalisée par

C P I
Brodard & Taupin

51030 – La Flèche (Sarthe), le 22-01-2009
Dépôt légal : mai 2003

POCKET – 12, avenue d'Italie - 75627 Paris cedex 13

Imprimé en France